double jeu identité et culture

Jocelyne Lupien
Jean-Philippe Uzel

MUSÉE NATIONAL DES BEAUX-ARTS DU QUÉBEC   LE SOI ET L'AUTRE

À Robert Wolfe,
qui nous aura
accompagné tout
au long de ce
double jeu.

Remerciements

Nous tenons tout d'abord à remercier les artistes de *Double Jeu*, Willie Cole, Ron Noganosh et Richard Purdy pour l'enthousiasme immédiat qu'ils ont montré pour notre projet et pour leur généreuse collaboration tout au long de ces deux années de travail. _____ Nous remercions également les organismes et les individus suivants pour leur contribution et leur collaboration à cette exposition :

L'Équipe de recherche Le Soi et l'Autre (programme des Grands travaux de recherche concertée du Conseil de recherches en sciences humaines du Canada) au sein de laquelle le projet de *Double Jeu* a mûri, et tout particulièrement Pierre Ouellet, chercheur principal du Soi et l'Autre, qui nous a apporté un soutien sans faille depuis le début du projet. _____ Le Conseil de recherches en sciences humaines du Canada. _____ L'Université du Québec à Montréal. _____ John Cook, Vernon Griffith, Joan et Charles Lazarus, Jennifer McSweeney, Shelley Niro, Eileen Smith ainsi que le Centre de l'art indien du ministère des Affaires indiennes et du Nord canadien, la Galerie d'art d'Ottawa, la Penny McCall Foundation, le Programme d'art public de la Ville d'Ottawa, le Woodland Cultural Centre. _____ La galerie Alexander and Bonin de New York et plus particulièrement Carolyn Alexander pour ses conseils et son aide précieuse auprès des collectionneurs. _____ Maxine Bedyn pour la gentillesse qu'elle nous a témoignée et son aide précieuse auprès des collectionneurs. _____ Émilie Granjon pour son formidable travail d'assistante de recherche. _____ Enfin Line Ouellet, la directrice des expositions et de l'éducation du Musée national des beaux-arts du Québec, qui nous a invité à organiser cette exposition et qui nous a fait bénéficier des ses précieux conseils depuis le tout début du projet. Nous remercions également toute l'équipe des expositions et de l'éducation du MNBAQ, tout particulièrement Paul Bourassa et Anne-Marie Ninacs à la conservation, André Sylvain à la coordination et Marie-France Grondin au design.

3

TABLE DES MATIÈRES

double jeu identité et culture

L'exposition *Double jeu. Identité et culture* et le présent catalogue sont le fruit d'une collaboration exemplaire entre deux types d'institution qui ont beaucoup à partager, soit le musée et l'université. Le Musée national des beaux-arts du Québec croit en effet profondément à la complémentarité des mandats de chacune de ces institutions. Pour l'une et l'autre, la recherche est au cœur des pratiques et la diffusion, que ce soit par l'enseignement, les publications ou les expositions, constitue un aboutissement naturel et essentiel. _____ C'est dans cet esprit que le directeur général du Musée, M. John R. Porter, a accueilli avec enthousiasme la proposition du groupe de recherche multidisciplinaire Le Soi et l'Autre – dont la direction est assurée par l'Université du Québec à Montréal, mais rassemblant des collaborateurs de plusieurs universités québécoises et étrangères – de mettre au point un projet à facettes multiples qui comprend une exposition, le présent catalogue, des activités destinées au grand public, un colloque international et la publication des actes de ce colloque. Né de la réflexion sur les croisements entre identité et multiculturalisme – préoccupation centrale du groupe de recherche Le Soi et l'Autre –, le projet s'est élaboré dès le départ en collaboration avec le Musée, qui a contribué à transposer un propos au départ théorique en une exposition d'art contemporain accessible au grand public. Les chercheurs et commissaires de l'exposition, Jocelyne Lupien et Jean-Philippe Uzel, tous deux professeurs d'histoire de l'art à l'UQAM, ont relevé ce défi avec intelligence et sensibilité.

préface

Les trois pratiques artistiques retenues, soit celles de Willie Cole, de Ron Noganosh et de Richard Purdy, mettent le visiteur en présence d'une notion fondamentale : celle de la construction de l'identité. Est-il un lieu qui convient mieux que les salles d'un musée – dit national – pour discuter cette notion ? Et un moment plus pertinent pour le faire que le moment présent, alors que nous vivons à l'heure du débat sur la mondialisation et sur les identités culturelles ? Sans prétendre apporter des réponses à cette vaste question, les œuvres de l'exposition orientent plutôt la réflexion en jouant littéralement sur l'élaboration d'identités où la fiction et la réalité, la quotidienneté et l'histoire, l'authentique et le fabriqué, le neuf et l'ancien, l'humour et le drame s'interpellent dans un chassé-croisé constant. Les artistes, chacun à leur manière, abattent le mur des certitudes, des évidences, et préfèrent la voie de la poésie et de l'humour pour évoquer des réalités historiques ou contemporaines liées à l'identité culturelle : afro-américaine pour Willie Cole, canado-amérindienne pour Ron Noganosh. Dans le cas de Richard Purdy, la réflexion ne s'attache pas tant à la question de la source identitaire, de l'origine, qu'à celle de la destinée, du futur d'une culture. En effet, en fabriquant avec soin des artefacts de civilisations chimériques, l'artiste nous questionne sur les traces que nous laisserons avec ces objets de pacotille qui meublent le quotidien de nos sociétés hyperconsommatrices et qui constituent le matériau de base des œuvres de Richard Purdy. Plus encore, cette évocation d'une fausse civilisation perdue adopte une forme muséale avec vitrines et étiquettes et, dans le musée même, souligne que le savoir anthropologique, archéologique et, plus généralement, scientifique est fondé sur l'élaboration d'hypothèses et constitue, à ce titre, une construction vraisemblable tout comme l'est sa civilisation de *Ba Pe*. ———————— *Double jeu. Identité et culture* propose trois univers très personnels, à la fois critiques et humoristiques, et invite chacun des visiteurs à faire de sa propre histoire le matériau de ce récit ouvert que constitue chacune de nos identités. Encore une fois, des artistes, avec des moyens souvent triviaux (séchoirs à cheveux,

enjoliveurs de roues, figurines à un dollar...), sou-
lèvent un questionnement qui dépasse largement la
simple portée des objets utilisés et nous proposent
avec beaucoup de sensibilité et d'acuité une réflexion
pertinente et actuelle sur notre mode de vie, nos origines, notre devenir. En ce sens, *Double jeu. Identité
et culture* s'inscrit bien dans la lignée des expositions thématiques et collectives que le Musée conçoit
depuis *Le ludique*, présentée en 2001 et suivie en
2003 de *Doublures. Vêtements de l'art contemporain*, expositions qui, toutes, expriment avec force à
l'intention du grand public la considérable pertinen-
ce et l'accessibilité de la production en art contemporain. _____ En terminant, nous dési-
rons remercier les commissaires Jocelyne Lupien et
Jean-Philippe Uzel pour leur enthousiasme et leur
engagement. Ils ont su élaborer non seulement un
concept pertinent d'exposition, mais aussi une excel-
lente sélection d'œuvres dont ils ont réussi à négo-
cier l'obtention avec différents prêteurs et ce, en collaboration avec le conservateur aux expositions,
Paul Bourassa. Nos remerciements vont aussi aux
artistes sans lesquels l'exposition n'aurait pas sa
raison d'être. Souhaitons que ce projet, issu de l'initiative originale du groupe de recherche Le Soi et
l'Autre, prenne valeur d'exemple pour les partena-
riats futurs entre les musées et les universités.

La directrice des expositions et de l'éducation
LINE OUELLET

9

Objets de doute, objets critiques

Jocelyne Lupien

L'exposition *Double Jeu. Identité et culture* réunit trois artistes vivant en Amérique du Nord mais possédant des identités culturelles fort différentes. L'artiste afro-américain Willie Cole vit dans le New Jersey (USA), Ron Noganosh, d'origine ojibwa, vit à Ottawa (Ontario) et Richard Purdy dans la région de Trois-Rivières (Québec). Leurs installations, sculptures, photographies et gravures parlent toutes, sous des modes tantôt dramatiques, tantôt ironiques, de la difficulté d'assumer en tant que citoyens nord-américains, au quotidien comme à travers le grand récit de l'histoire, l'hybridité de nos origines culturelles. En regroupant sous la thématique du métissage culturel les œuvres de Willie Cole, de Ron Noganosh et de Richard Purdy, nous souhaitons montrer le regard lucide et critique que ces artistes portent sur la névralgique question des identités culturelles en Amérique du Nord. ———————————— Les œuvres de ces trois artistes se présentent souvent comme des pastiches d'artefacts amérindiens, africains ou indonésiens, dont l'effet de réel est parfois saisissant. On dirait chez Willie Cole de vrais masques africains, chez Ron Noganosh de vrais boucliers amérindiens et chez Richard Purdy de vrais outils primitifs ou de vrais bijoux orientaux anciens. Toutefois, si le premier coup d'œil nous les donne comme d'authentiques artefacts, ces œuvres deviennent vite, pour peu qu'on les scrute, des objets de doute car leur vraie nature est trouble et duelle. Devant ces masques, ces boucliers et ces trésors archéologiques, le spectateur succombe à l'esprit iconoclaste et subversif qui modalise ces objets. Car l'effet de réel dans ces œuvres a pour but de nous sensibiliser au fait que l'identité culturelle des individus en Amérique du Nord résulte d'une fusion entre l'ici et l'ailleurs, entre nous et l'autre, voire les autres, entre la grande histoire collective et la petite histoire de vie de chacun, entre le noble et le trivial, entre les mythologies sacrées et les croyances populaires.

Willie Cole : une archéologie du futur

L'artiste afro-américain Willie Cole, qui a recours aussi bien à la sculpture qu'à la photographie et la gravure, qualifie lui-même son art d'« Archaeological Urban Dada[1] ». Dans cette étiquette, la double allusion à l'archéologie et au dadaïsme est en effet très pertinente car les sculptures de Cole sont faites d'assemblages d'objets issus du paysage urbain nord-américain et liés aux activités quotidiennes de ses habitants : fers et planches à repasser, séchoirs à cheveux, chaussures (fig. 1), pompes à essence, etc. Comme Duchamp avant lui, Cole aime manipuler, bricoler et recycler ces ready-made urbains trouvés au fil de ses promenades. Plutôt banals à première vue, ces objets, Cole en détourne le statut et la signification première pour leur donner une fonction symbolique et spirituelle. Ainsi, un assemblage de chaussures féminines se transforme en Vénus africaine, des séchoirs à cheveux prennent l'allure de masques yombé, une planche à repasser devient une cale de bateau. Cole voit en ses œuvres les artefacts archéologiques du futur. _____

…let's imagine that everything was destroyed and a new race or a new group of beings came to our planet and they tried to discover our culture through the things that we left, and they find my works of art. So I have totally changed everything and nobody will ever know the truth. In my imagination, that's what I'm doing. I sometimes think of it as archaeological ethnographic Dada[2]. _____

« (…) imaginons que tout ait été détruit et qu'une nouvelle race fasse son apparition sur notre planète. Elle essaie de comprendre notre culture grâce aux objets que nous avons laissés derrière nous et tombe sur mes œuvres d'art. J'aurai ainsi changé du tout au tout la face des choses et personne ne connaîtra jamais la vérité. En imagination, c'est ce que je suis en train de faire. Je considère souvent mon art comme du dadaïsme ethnographique archéologique. »

Page de gauche (détail) : cat. 4 / Willie Cole / 600 % / 1996 / Laque et émail sur rampes récupérées et contreplaqué avec caoutchouc / 146 x 74 x 74 cm / Collection Jennifer McSweeney et Peter Reuss

Page de droite : fig. 1 / Willie Cole / JoAnn / 1994 / Chaussures, bois, fil de fer et vis / 20 x 24 x 19 cm / Avec l'aimable concours de la Galerie Alexander and Bonin, New York

1. Eugenie Tsai, *Archaeological Urban Dada*, texte du catalogue de l'exposition éponyme, Whitney Museum of American Art de Champion, New York, 29 septembre – novembre 1995, p. 3. _____ 2. Willie Cole, entrevue dans le catalogue de l'exposition *Social Studies 4 + 4 Young Americans*, Allen Memorial Art Museum, Oberlin College, Oberlin, Ohio, 1990, p. 18.

Les œuvres de Willie Cole présentées dans cette exposition constituent par ailleurs une vive critique du sort de la communauté afro-américaine passée et actuelle, sous forme d'allusions explicites à la déportation des esclaves, mais aussi à la survivance des croyances religieuses africaines (candomblé, vaudou, animisme). Ainsi, l'œuvre intitulée *Wind Mask East* a toutes les apparences d'un vrai masque rituel africain, mais si l'on s'en approche, on verra que ce masque est fait de plusieurs sèche-cheveux. Comme les têtes composites peintes par Arcimboldo au XVIe siècle, faites de fleurs, de fruits ou de livres, les masques de Willie Cole possèdent deux niveaux de représentation qui exigent des spectateurs une approche perceptuelle en deux temps, d'abord lointaine, puis une autre plus rapprochée. Une tension est vécue entre ces deux moments de lecture car la vision rapprochée de l'objet fait basculer les certitudes et croyances que la vision lointaine avait fournies. Le beau masque primitif se transforme soudain en un assemblage d'objets utilitaires modernes et populaires, en ready-made on ne peut plus américains. L'Afrique débarque en Amérique du Nord et l'Amérique du Nord bouscule les traditions et divinités africaines, l'une et l'autre culture s'interpénétrant dans un choc sonore et grinçant. Willie Cole a donc recours à une stratégie non seulement iconographique mais perceptuelle pour discuter du métissage culturel et de la mouvance identitaire. Si cet objet n'est pas le même de loin que de près, n'est-ce pas que sa vraie identité se trouverait à la rencontre des deux cultures, au lieu même de la fusion de l'africanité avec l'américanité ? Comme l'affirme Catherine Bernard[3] dans un texte consacré à Willie Cole, cette manière d'africaniser des objets symboliques occidentaux serait une réponse de l'artiste à la manière dont l'Europe du début du siècle s'est approprié l'art africain. C'est précisément cette dualité de l'éloignement et de la proximité de notre perception de l'objet qui devient l'embrayeur de la tension identitaire que l'artiste veut exprimer, et donc le meilleur moyen visuel de parler de clivage et d'hybridité identitaire.

3. Catherine Bernard, « Transformer - The Work of Willie Cole », *Nka - Journal of Contemporary African Art*, automne/hiver 2001, p. 64-69 incl.

Cat. 1 / Willie Cole / *Wind Mask East* / 1990 / Séchoirs à cheveux /
58,5 x 61 x 35,5 cm / Collection de l'artiste

Cat. 2 / Willie Cole / *Black Patent Leather Venus with Scarification* / 1993
Souliers cousus / 63.5 x 20.5 x 28 cm / Collection de l'artiste

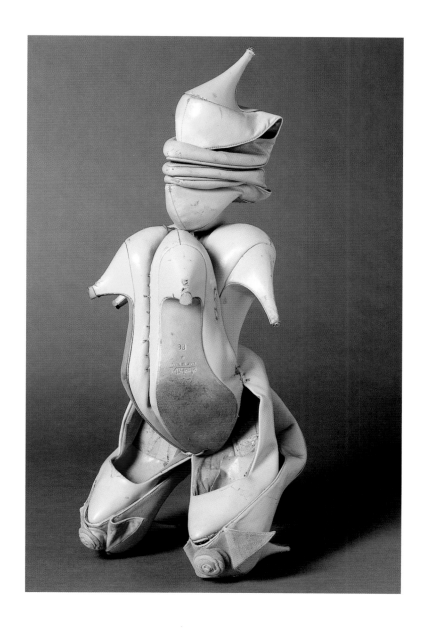

Cat. 3 / Willie Cole / *Pink Leather Venus* / 1993 / Souliers cousus /
63,5 x 20,5 x 28 cm / Collection de l'artiste

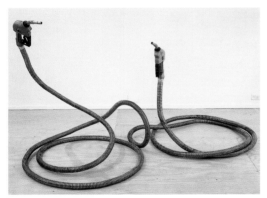

Willie Cole croit que les objets que nous manipulons chaque jour et que nous jetons tôt ou tard conservent une mémoire de leur passé. C'est ce passé et cette mémoire que Cole évoque dans ses œuvres. Il ne veut pas effacer cette histoire « vécue » avec l'objet car, affirme-t-il, cette mémoire fait corps avec l'objet. Elle est non seulement individuelle mais collective, non seulement historique mais politique. Ainsi, dans *Double-Headed Gas Snake*, deux serpents se dressent, menaçants (fig. 2). De loin, on dirait vraiment deux gigantesques cobras qui, de près, se métamorphosent en distributeurs d'essence. Une âme et une mémoire sont insufflées à l'objet inanimé qui se transforme en entité vivante. Le serpent crache son venin comme le distributeur son essence, les deux mixtures pouvant devenir, on ne le sait que trop bien, des poisons sources de mort et de guerre. Cole crée ainsi des objets critiques très efficaces tout en ne sacrifiant ni le primitivisme ni la dimension politique qui font partie de son propre patrimoine culturel aussi bien ancestral (Afrique) que contemporain (son afro-américanité).

Page de gauche : fig. 2 / Willie Cole / *Double-Headed Gas Snake* / 1997 / Tuyaux de métal et becs de pompe à essence / 210,8 x 149,9 cm / Avec l'aimable concours de la Galerie Alexander and Bonin, New York

Page de droite : cat. 4 / Willie Cole / *600 %* / 1996 / Laque et émail sur rampes récupérées et contreplaqué avec caoutchouc / 146 x 74 x 74 cm / Collection Jennifer McSweeney et Peter Reuss

Cat. 5 / Willie Cole / *Man Spirit Mask* (détail) / 1996 / Triptyque : photogravure, sérigraphie et
gravure sur bois, 21/40 / Image (hors tout) : 99 x 202 cm; chaque élément : 99 x 67,5 cm /
Avec l'aimable concours de la Galerie Alexander and Bonin, New York

Au début des années quatre-vingt-dix, apparaissent dans l'œuvre de Cole l'icône du fer à repasser et de la planche à repasser (*Infestation, Unmasked Journey, 600 %, Stowage, Man Spirit Mask*). Métaphore du travail manuel harassant qu'assument les petites gens de couleur, le fer à repasser est une icône doublement importante dans le travail de Cole, où il symbolise l'esclavagisme tout en rappelant la propre filiation généalogique de l'artiste : sa mère et sa grand-mère étaient travailleuses domestiques. La forme de la planche à repasser prend des allures de cale de bateau négrier et les *scorches* visibles dans plusieurs œuvres de l'exposition se superposent au visage même de Willie Cole, évoquant de manière poignante les scarifications rituelles africaines. Le gigantesque fer à repasser en bois de la sculpture *600 %* souffle à une échelle impossible l'objet qui, dans la vie de tous les jours, tient dans la main. Dénonçant la piètre condition socioéconomique des Afro-Américains, ce thème de l'objet « tactile », qu'on palpe et manipule, est omniprésent dans le travail de Willie Cole. Il aime imprimer sur la toile et sur le papier les empreintes brûlées du fer à repasser, produisant ainsi des signes indiciels[4] très puissants sur le plan formel et très évocateurs sur le plan iconographique.

Cat. 7 / Willie Cole / *Unmasked Journey* / 1999 / Cire, métal et papier sur toile légèrement brûlée (*scorched canvas*) / 177 x 217 x 10 cm / Collection Joan et Charles Lazarus

---

4. Les signes indiciels sont produits par contact d'un objet sur le support, par exemple un fer à repasser enduit de pigment (encre ou acrylique) sur la toile. À cet égard, *Infestation* (2000), présentée dans cette exposition, donne un très bon aperçu de ce processus d'impression par brûlure du signe indiciel « fer à repasser ». On voit à quel point toute l'œuvre bidimensionnelle de Cole est traversée par la technique indicielle de l'estampage et de la gravure.

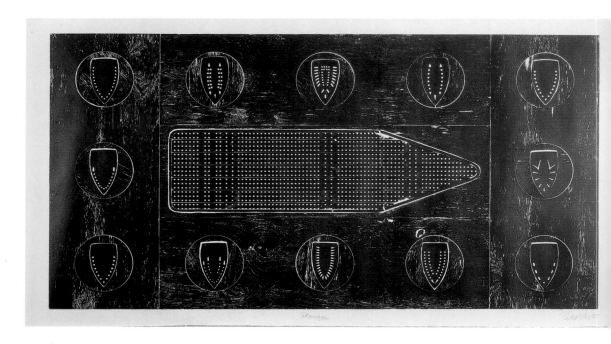

Cat. 5 Willie Cole / *Stowage* / 1997 / Gravure sur bois sur papier kozo-shi, 14/16 /
Image : 125,9 x 241,5 cm; papier : 142,2 x 264,2 cm /
Avec l'aimable concours de la Galerie Alexander and Bonin, New York

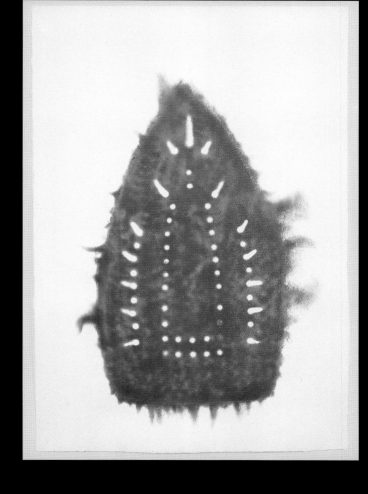

lie Cole / *Man Spirit Mask* (détail) / 1996 / Triptyque : photogravure
r bois, 21/40 / Image (hors tout) : 99 x 202 cm; chaque élément : 99
Avec l'aimable concours de la Galerie Alexander and Bonin, New Yo

Ron Noganosh :
des boucliers pour tuer Méduse

Double Jeu. Identité et culture réunit une importante série de boucliers de Ron Noganosh. L'artiste, d'origine ojibwa, est né sur la réserve de Magnetawan, dans la baie Géorgienne, et a grandi sur la réserve de Shawanaga, en Ontario. Avant de se consacrer à l'art, il a fait cinquante-six métiers tous plus étonnants les uns que les autres, symptôme de la quête d'identité que fut la sienne : laveur de vaisselle, mineur de fond, chauffeur de camion, vendeur d'acier récupéré en Afrique de l'Ouest et… combattant d'alligators. Ron Noganosh a une histoire personnelle dramatique. En 1982, dans une installation intitulée *Anon Among Us*, il dresse une liste des décès survenus dans sa famille : 26 morts violentes, dont 24 attribuables à l'alcool. Depuis, d'autres décès d'amis et de proches se sont produits (suicides, noyades, agressions à l'arme blanche, accidents routiers, diabète, alcoolisme, etc.) si bien que Noganosh estime qu'au total plus de soixante-trois morts ont jalonné sa vie avant son cinquantième anniversaire! Le moyen auquel Noganosh a recours pour survivre à ces drames : l'humour. Comme l'explique Tom Hill dans un essai consacré à Noganosh, « Si l'humour est central à sa production, il [Noganosh] a toujours présenté la mort comme une dimension intégrale du quotidien de tout Autochtone [5]. » Et l'objet autochtone archétypal par lequel il communique sa vision de l'histoire des conditions de vie des Amérindiens est le bouclier car celui-ci offre d'immenses possibilités plastiques et formelles sans qu'il faille sacrifier cette fonction guerrière dont Noganosh veut doter ses œuvres.

25

Page de gauche (détail) et page de droite : cat. 10 / Ron Noganosh / *If You Find Any Culture, Send It Home* / 1987 / Bois, plumes, peau animale / 112 x 64 x 9 cm / Collection particulière

5. Tom Hill, « Ron Noganosh : Un guerrier postmoderne », texte au catalogue de l'exposition *Ron Noganosh : It Takes Time*, Ottawa, The Ottawa Art Gallery, 1999, p. 37.

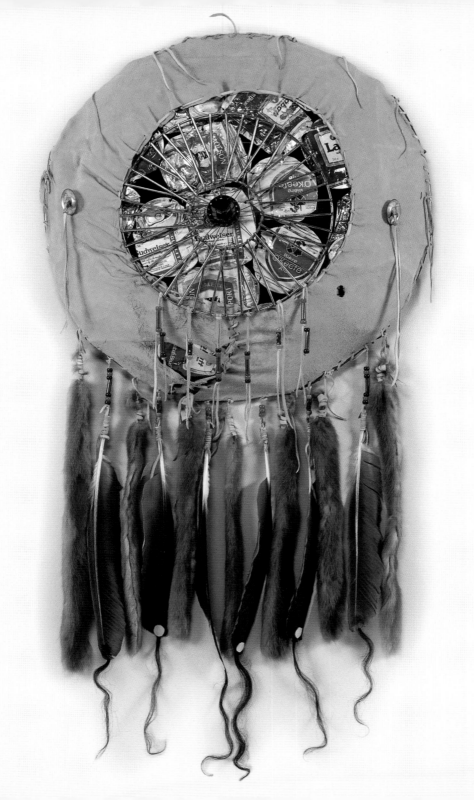

Tous les boucliers de Ron Noganosh s'inscrivent dans la plus pure tradition des boucliers amérindiens tels que les autochtones les fabriquent depuis des siècles sur notre continent (fig. 3). Comme les boucliers traditionnels, ceux de Noganosh montrent des perles, des plumes et des motifs peints. Mais si, de loin, ils ont toutes les allures de vrais boucliers, de près, ils nous réservent de grandes surprises. Voyez par exemple *Shield for a Modern Warrior or Concession to Beads and Feathers in Indian Art*. Tout y est, plumes et fourrure, couleurs et tondo du bouclier. Toutefois, si l'on y regarde de près, on constate que Noganosh a écrasé des canettes de bières Labatt, Molson et O'Keefe dans un enjoliveur de Firebird, se référant ainsi très brutalement et sans concession à la dure condition actuelle des Amérindiens au Canada. Cette œuvre prend sa source dans une beuverie qui eut lieu à Hull (Québec) et au cours de laquelle l'artiste trouva sur le pavé du terrain de stationnement une canette de bière écrasée. « Elle m'a fait réfléchir, dit-il, je l'ai mise dans ma voiture et ramenée chez moi, puis j'ai commencé à en chercher d'autres[6]. »

27

Page de gauche : cat. 9 / Ron Noganosh / *Shield for a Modern Warrior, or Concession to Beads and Feathers in Indian Art* / 1983 / Métal, canettes de bière, plumes, fourrure, cheveux, suède, perles / 125 x 65 x 15 cm / Ministère des Affaires indiennes et du Nord canadien / Indian and Northern Affairs Canada

Page de droite : fig.3 / *Bouclier Cheyenne* / 1860-1868 / Detroit Institute of Arts, don du Detroit Scientific Association (76.144)

6. *op. cit.*, p. 4.

Cat. 13 / Ron Noganosh / *Shield for a Yuppie Warrior* / 1991 /
Métal, polystyrène, soie, peau, fourrure, étiquette Pierre Cardin, plastique, perles, os /
132,5 x 65 cm / Collection Shelley Niro

Cat. 14 / Ron Noganosh / *That's All It Costs...* / 1991 / Métal, laine, nylon, papier, plastique, monnaie, plumes, cuir / 139 x 60 x 11 cm / La Galerie d'art d'Ottawa / The Ottawa Art Gallery

On sait à quel point était vaste le territoire occupé en Amérique du Nord par les Indiens des Plaines, dont les Ojibwas font partie, allant de l'Alaska jusqu'au Mississipi en passant par le sud du Canada. Reconnus pour leur style pictural et chromatique très maîtrisé, ces Indiens sont ceux-là même que les Blancs se plaisaient à qualifier de « vrais » Indiens et qu'on trouve souvent représentés dans les films hollywoodiens; ce sont eux qui affrontèrent le général Custer [7], eux encore qui portaient ces magnifiques coiffes à plumes et vivaient dans des tipis en peau. En reprenant la tradition patrimoniale du bouclier des Indiens des Plaines, et malgré, comme le dit Sylvie Fortin, « l'obsolescence des boucliers à l'ère technologique [8] », Ron Noganosh voit en cet objet symbolique un moyen efficace de remettre en question cette étiquette de « vrai » Indien. Devant ces boucliers, miroirs ironiques de l'identité amérindienne, impossible de ne pas penser au bouclier-miroir qu'Athéna offrit à Persée pour qu'il affronte Méduse par qui arrive la mort. Comme Persée, Noganosh se fabrique des boucliers, miroirs de l'histoire des siens, qu'il brandit à la face de tous les généraux Custers de la terre pour mieux freiner l'érosion de son propre héritage culturel. Ces boucliers émouvants et courageux sont des objets de catharsis qui le protègent de l'effraction de la réalité vécue par les Autochtones d'Amérique du Nord : alcoolisme, drogue, violence familiale, isolement, dépossession territoriale et culturelle, etc. D'autres œuvres de Noganosh telle *That's All it Costs* sont très touchantes en ce qu'elles renvoient encore, sur un mode plastique et iconographique saisissant, à l'histoire des Premières Nations d'Amérique du Nord. Dans cette œuvre, un bouclier est fabriqué avec deux « tissus » historiquement connotés, le premier s'avérant un échantillon de la fameuse couverture de laine frappée aux couleurs de la Compagnie de la Baie d'Hudson et l'autre le drapeau américain. L'historienne de l'art américaine Lucy R. Lippard précise ainsi la portée de ce bouclier de Ron Noganosh : —————————— Selon Noganosh, ce bouclier porte sur « la cupidité des entreprises. Une fois le commerce de la fourrure effondré, la Compagnie de la Baie d'Hudson et les autres entreprises ont tout simplement abandonné les Indiens qui dépendaient d'eux, les reléguant aux oubliettes en s'en allant aux États Unis [9] ».

7. C'est à ce même général que l'on doit la célèbre phrase : « The only good Indian is a dead Indian. » Dans Katherine Sirois et Jean-Philippe Uzel, « Ironie et pessimisme dans l'art de Ron Noganosh », revue *Esse*, printemps 2002, p. 56 à 59 incl. ——— 8. Fortin, Sylvie, *Ron Noganosh: It Takes Times*, Ottawa, Ottawa Art Gallery, 1999, non paginé. ——— 9. Lucy R. Lippard, « Des rires et des pleurs : L'art de Ron Noganosh », dans Ron Noganosh : *It Takes Times*, catalogue de l'exposition éponyme, Ottawa, Ottawa Art Gallery, 1999, p. 66.

20 / Ron Noganosh / *Shield for a Vanishing Metis* / 2003 / Enjoliveur, peir
aluminium, tissu, fil de cuivre / 65 x 40 x 7 cm / Collection Vernon Griffith

La couverture de la Baie d'Hudson et le tas de pièces d'or rappellent cette exploitation. Le drapeau américain dans cette œuvre est déchiqueté et en lambeaux. Flottant devant le bouclier, on voit trois figurines en apparence bien anodines : un guerrier indien, un ours polaire et un élan « canadien ». Ces petits personnages renvoient tous, sur le mode de la dérision, au panthéon identitaire amérindien. Au-dessus des ces figurines, un manche de guitare lance un vibrant hommage au collage cubiste et à l'art d'assemblage, référence incontournable dans le travail de Ron Noganosh.

33

Cat. 20 / Ron Noganosh /
Shield for a Vanishing Metis
(détail) / 2003

Cat. 18 / Ron Noganosh / *Shield for an Internet Warrior* / 2003 / Enjoliveur, touches de
clavier d'ordinateur, fil de cuivre, cartes de mémoire d'ordinateur / 61 x 41 x 10 cm /
Collection particulière

Cat. 19 / Ron Noganosh / *Shield for a Vanishing Indian, or Indian Chief Vanishes on his Harley Ghetto Bike* / 2003 / Enjoliveur, plumes, logotype Indian / 60 x 40 x 7 cm / Ville d'Ottawa / City of Ottawa

Les fictions historiques et anthropologiques de Richard Purdy

La démarche de Richard Purdy consiste à créer des fictions historiques qui prennent la forme de vastes installations composées d'artefacts anciens, de cartes géographiques, de maquettes de villes antédiluviennes, de papyrus aux écritures sibyllines, d'outils primitifs, de lourds bijoux baroques. Le tout est enrobé d'un discours historique et scientifique très persuasif racontant l'histoire de cette civilisation perdue, discours dont le seul but est de nous faire croire que de vrais archéologues viennent d'en découvrir les vestiges. Mais, malgré les apparences hyperréalistes de ces artefacts et de ce discours extrêmement convaincant, les installations de Richard Purdy s'avèrent de formidables mises en scène, pastiches, imitations et trompe-l'œil. En effet, depuis 1975, cet artiste à l'imagination fertile construit et expose des univers inventés qui sont de pures visions fantasmatiques d'ailleurs exotiques. Il a imaginé par exemple la ville renaissante de Corpus Cristi à laquelle Fra Lucio Palaccio, l'architecte du pape Léon X, aurait donné la forme du corps du Christ sur la croix. Purdy a exposé la vraie maquette de cette ville fausse au Musée d'art contemporain de Montréal en 1984. Mais à la différence des « ruines » que mettent en scène les sculpteurs français Anne et Patrick Poirier, qui se focalisent surtout sur leur caractère architectonique, les maquettes créées par Richard Purdy sont accompagnées d'autres objets qui viennent documenter un plus vaste projet de recréation d'une civilisation entière mais perdue, dont l'artiste voudrait conserver les usages et coutumes. Ses projets sont des représentations actuelles qui s'échafaudent à partir

37

Page de gauche (détail) et page de droite : cat. 21 / Richard Purdy / *Revisiter la civilisation du Ba Pe tardif : témoignages artefictionnels* / 2003 / Installation / Élément de la vitrine 6 : *Sifflets* / 105 x 91,5 x 46 cm

de l'histoire de l'humanité dont l'ethnologie, l'anthropologie et l'histoire de l'art conservent les signes et les discours. Du coup, Richard Purdy attire notre attention sur ce qui subsistera de notre civilisation et de notre culture actuelle dans mille ans, et l'on se surprend à penser que ses installations fantastiques, sous leurs dehors fictionnels, pourraient bien ressembler aux vraies traces que nous laisserons sur cette planète. _____ L'artiste imagine aussi parfois des fantaisies biologiques telles que l'installation *Progeria Longaevus* (1988-1989), du nom d'une maladie immunitaire imaginaire dont, raconte-t-il, fut atteint un homme qui a vécu mille ans et dont Purdy s'emploie à retracer la vie. Ailleurs, ce sont les animaux et les insectes qui déclencheront d'autres inventions narratives. En 1986, sous le titre de *Sélection naturelle*, il réalisera une installation où il racontera l'histoire fictive de vingt-quatre espèces animales. _____ La grenouille de la Sainte-Croix : cet animal était au pied du Christ lors de sa crucifixion; une goutte du sang sacré tomba sur le dos de la grenouille et s'étendit en forme de croix. Vénérées par les saints russes, ces grenouilles étaient gardées dans de petites boîtes et montrées à la populace pour son amusement. Le pape Innocent XIII avait un habit fait de 80 peaux de ces grenouilles, qu'il portait pour des occasions spéciales[10]. _____ Dans l'exposition *Double Jeu. Identité et culture*, Purdy présente l'une de ses plus efficaces mystifications : la civilisation perdue de Ba Pe. Dans cette œuvre *in progress*, puisqu'il s'agit d'une fiction historique et archéologique sur laquelle il travaille depuis plus de vingt ans, l'artiste décrit visuellement et par écrit une civilisation qui aurait existé entre l'an 7 et l'an 79 ap. J.-C. Le plus sérieusement du monde, Purdy fait littéralement revivre sous nos yeux l'histoire de Ba Pe à la manière des musées ethnographiques dont il utilise les codes de présentation, dans un étalage de stûpas dorés, d'outils primitifs, de bijoux, de sifflets et de poteries. Pour réaliser cette installation, l'artiste a transformé divers articles achetés dans des magasins à un dollar en de vrais trésors anciens. Par exemple, il a travesti des jouets comme le fameux *Sponge Bob* en petits personnages énigmatiques pétrifiés; de mini-squelettes de plastique en minuscules momies; des laines d'acier pour récurer les casseroles en étranges artefacts rouillés; des farces et attrapes en vrais spécimens d'insectes disparus (libellules et scarabées royaux).

10. Propos de l'artiste tirés d'un document accompagnant l'exposition *L'empoisonnement de la réalité* présentée au Centre Saydie Bronfman du 28 août au 3 octobre 1990, non paginé.

Fig. 4 : Wat Para Si Mahathat Chedi and Viharn / Épreuve à la gélatine argentique

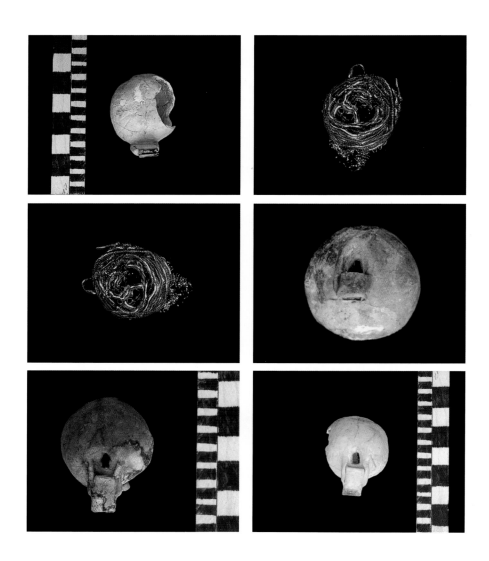

Cat. 21 / Richard Purdy / *Revisiter la civilisation du Ba Pe tardif : témoignages artefictionnels* / Installation / 2003 / Éléments de la vitrine 6 : *Sifflets* / 105 x 91,5 x 46 cm / Éléments de la vitrine 7 : *Objets funéraires* / 94 x 75 x 60 cm

Cat. 21 / Richard Purdy / *Revisiter la civilisation du Ba Pe tardif : témoignages artefictionnels* /
2003 / Installation / *Élément de la vitrine 1 : Outils et langage* /
94 x 91,5 x 76 cm

Cat. 21 / Richard Purdy / *Revisiter la civilisation du Ba Pe tardif : témoignages artefictionnels* / 2003 /
Installation / *Élément de la vitrine 3 : Paniers et objets de vannerie* / 106 x 128 x 76 cm

Une visite à l'atelier de Purdy suffit pour comprendre que sa démarche est un véritable mode de vie. Il enterre des objets pendant des mois pour leur donner une juste patine; les trempe durant des semaines dans des mixtures produisant des champignons et des vert-de-gris pour leur donner l'apparence d'un âge respectable, alors que ces objets viennent pourtant directement du dépanneur du coin. Autrement dit, les matières premières de Richard Purdy sont des ready-made issus de la culture populaire nord-américaine, ready-made qu'il transforme en de nobles artefacts. Il fait donc se rencontrer, dans un processus de pur métissage, l'ici et l'ailleurs, le présent et le passé, la culture pop et la grande culture (celle de l'archéologie), dans des installations qui sont le résultat de son imaginaire de l'Autre. Cet Autre, c'est la civilisation indonésienne qu'il connaît bien pour avoir souvent voyagé en Orient dont il aime profondément la culture (fig. 4), mais à laquelle il choisit de rêver – et de nous faire rêver – depuis l'ici de l'Amérique du Nord où il vit. L'histoire et l'anthropologie d'une civilisation s'érigent dans le travail de Richard Purdy à partir du pop, du kitch, de l'éphémère; la mémoire ancienne à partir d'objets récents. Purdy voit à l'avance dans les artefacts pop contemporains leur potentiel de mémoire, leur future valeur historique, leur capacité à donner l'illusion d'une vie fabuleuse – mais révolue – sur cette planète. Dans mille ans, on trouvera sous terre des *Sponge Bob* dont la valeur triviale initiale aura été perdue pour les habitants du futur, lesquels leur prêteront peut-être une identité mythique éblouissante.

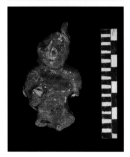

Cat.21 / Richard Purdy / *Revisiter la civilisation du Ba Pe tardif : témoignages artefictionnels* / 2003 / Installation / Éléments de la vitrine 2 : *Panoplie de danse* / 106 x 128 x 76 cm / Élément de la vitrine 6 : *Sifflets* / 105 x 91,5 x 46 cm

21 / Richard Purdy / *Revisiter la civilisation du Ba Pe tardif : témoignages artefictionnels* / 2003
Installation / Élément de la vitrine 5 : Urne / 146 x 124 x 55 cm

Cat. 21 / Richard Purdy / *Revisiter la civilisation du Ba Pe tardif : témoignages artefictionnels* / 2003 /
Installation / Élément de la vitrine 1 : *Outils et langage* / 94 x 91,5 x 76 cm /
Élément de la vitrine 2 : *Panoplie de danse* / 106 x 128 x 76 cm / Élément de la vitrine 8 :
Fragments, jouets et jeux / 94 x 91,5 x 76 cm

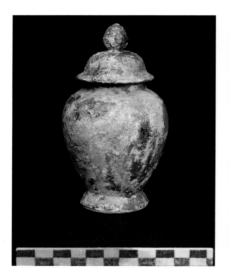 

Page de gauche : cat. 21 / Richard Purdy / *Revisiter la civilisation du Ba Pe tardif : témoignages artefictionnels* / 2003 / Installation / Élément de la vitrine 5 : *Urnes* / 146 x 124 x 55 cm / Élément de la vitrine 2 : *Panoplie de danse*

Page de droite : cat. 21 / Richard Purdy / *Revisiter la civilisation du Ba Pe tardif : témoignages artefictionnels* / 2003 / Installation / Élément de la vitrine 8 : *Fragments, jouets et jeux* / 94 x 91,5 x 76 cm

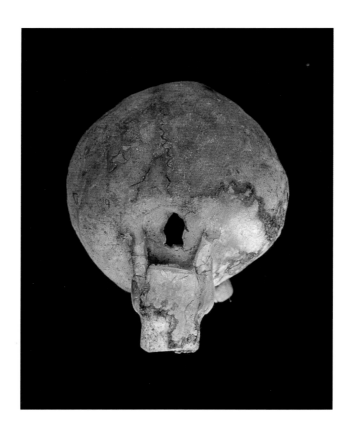

Cat. 21 / Richard Purdy / *Revisiter la civilisation du Ba Pe tardif : témoignages artefictionnels* /
Installation / 2003 / Élément de la vitrine 6 : *Sifflets* / 105 x 91,5 x 46 cm

L'authenticité des origines culturelles : que le vrai citoyen nord-américain se lève!

Cette exposition plonge au cœur de ce que nous avons fini par nommer, au fil des mois de préparation, l'impureté et la non-authenticité de l'origine culturelle, puisque nous sommes forcés de constater que chaque Nord-Américain, qu'il se dise Québécois de souche ou États-unien authentique, est à l'image de ce continent, c'est-à-dire traversé de près ou de loin par des origines européennes, africaines ou amérindiennes. Nous sommes francophones avec des arrière-grands-parents autochtones, anglophones avec des ancêtres irlandais, New-Yorkais avec un arbre généalogique africain, Ojibwas parlant anglais et vivant en Ontario, Occidentaux rêvant de l'Orient, etc. Les *scorches* de Cole, les boucliers de Noganosh et les fictions historiques de Purdy affirment que l'identité culturelle est toujours impure, métissée et « inauthentique » puisque le concept de « Nord-Américains de souche » est un mythe et non une réalité. Si notre identité dépend certes de déterminismes culturels dont en quelque sorte nous héritons à la naissance, elle se construit aussi à partir d'auto-fictions et de rêves dont l'art contemporain regorge.

Petite histoire du
trickster en Amérique

Jean-Philippe Uzel

Où il est question d'un voyage chez les Indiens Hopis et de clowns qui ne font pas rire

C'est l'histoire d'un jeune Allemand qui, à la fin du XIXᵉ siècle, fatigué par les ronronnements de l'histoire de l'art académique, part dans le Sud-Ouest américain à la recherche d'aventures et des Indiens de ses albums d'enfance. Ce n'est pas le Bas de Cuir, le héros du *Dernier des Mohicans*, qu'il rencontre au bout de son voyage, mais des Indiens Hopis en voie d'acculturation rapide, vivant dans ce qu'il nomme lui-même des « parcs zoologiques humains[1] ». De ce voyage, de ses attentes et de ses déceptions, notre jeune historien de l'art ne dira mot pendant des années. C'est seulement vingt-sept ans après son périple américain qu'il prononcera une conférence consacrée aux rituels païens des Hopis, et à leur résonance dans l'art classique grec. Cette conférence n'était pourtant pas destinée à des historiens ou à des anthropologues de l'art. Ce formidable exercice de remémoration avait un seul but : prouver aux médecins de la clinique psychiatrique de Kreuzlingen (Suisse) que leur patient avait recouvré ses facultés intellectuelles et qu'il pouvait enfin, après des années d'internement, quitter leur établissement. _____ Cette histoire n'est pas sans évoquer celle du jeune anthropologue David Heebie, qui pour avoir trop vécu avec les Naos du Brésil, devient Nao lui-même et finit ses jours dans un hôpital psychiatrique. Mais contrairement à ce dernier, Aby Warburg n'est pas un personnage sorti de l'imagination de Richard Purdy et mis en scène dans un de ses récits fictifs à saveur anthropologique[2]. Aby Warburg (1866-1929) a bel et bien existé. Il est même un des historiens de l'art les plus importants du XXᵉ siècle et surtout le premier à avoir tissé des liens entre l'esthétique et l'anthropologie. À ce titre, Warburg méritait d'être cité dans le cadre de *Double Jeu* dont le but est précisément de faire se télescoper l'art et la culture. Si l'on ajoute que Warburg est le premier historien de l'art à avoir analysé les productions artistiques occidentales et non occidentales en termes de métissage esthétique, son nom devenait pour nous une référence obligée[3].

1. Aby Warburg, « Notes inédites pour la conférence de Kreuzlingen sur "le rituel du serpent" (1923) », trad. S. Muller, dans Philippe-Alain Michaud, *Aby Warburg et l'image en mouvement*, Paris, Macula, 1998, p. 254. ———— 2. Richard Purdy, *The Journal of the Society for the Preservation of Non-Extant Culture*, vol. 1, Ottawa, 1984. ———— 3. Nous nous permettons, sur ce sujet, de renvoyer à notre article : Jean-Philippe Uzel, « L'art comme "palimpseste" : Aby Warburg chez les Hopis », dans Pierre Ouellet (dir.), *Le Soi et l'Autre* (ouvrage de synthèse), Les Presses de l'Université Laval, 2003, p. 403-422.

Mais c'est finalement pour une autre raison que nous évoquons la conférence de Kreuzlingen en ouverture de ce texte. Au-delà de l'exploration commune des liens entre l'art et la culture, celle-ci entretient avec l'exposition *Double Jeu* une affinité secrète. Toutes deux ont le même point nodal, qui est en même temps un point aveugle : le *trickster*[4]. C'est ce personnage légendaire, présent dans toutes le cultures autochtones d'Amérique du Nord, mais également dans les cultes afro-américains, qui vient tourmenter Warburg dans sa clinique et lui fait prendre des Indiens pour des Grecs. Dans sa conférence, Warburg relate les danses *humikatcinas* auxquelles il avait assisté le 1er mai 1896 dans le village d'Oraibi au cœur de la Black Mesa. Les danses, répétitives et lancinantes, s'étaient déroulées selon un programme parfaitement réglé, mais à la tombée du jour, un événement insolite se produisit. Neuf danseurs habillés de façon comique apparurent et se livrèrent à toutes sortes de facéties à la fois clownesques, obscènes et mortifiantes. Warburg est frappé par le fait que les clowns non seulement ne font pas rire, mais laissent le public pétrifié (fig. 5). C'est pour décrire ce contraste entre le comportement des danseurs et celui des clowns qu'il déclare : « pour peu que l'on connaisse un peu la tragédie antique, on retrouvera ici la dualité du chœur tragique et du jeu satyrique […][5] ».

---

4. La langue française rend de façon approximative *trickster* par *fripon, filou, décepteur.* ——— 5. Aby Warburg, *Le Rituel du serpent*, trad. S. Muller, Paris, Macula, 2003, p. 101.

Ce que Warburg ignore, c'est qu'il n'était pas en présence de Dionysos, mais bien du *trickster* dont les manifestations se caractérisent non seulement par un mélange de clowneries, d'ironie et d'humour, mais aussi de crainte respectueuse. Son nom chez les Indiens Winnebagos est *Wakdjunkaga*, qui signifie littéralement *celui-qui-joue-des-tours*[6]. En effet, le propre du *trickster* est de ne jamais être là où l'on croit, de décevoir systématiquement nos attentes. La première dupe du *trickster* est donc celui qui tente de l'analyser et de le comprendre. C'est bien ce qui est arrivé à Warburg qui s'est laissé piéger par le clown de la Black Mesa dans lequel il voit une incarnation du paganisme grec, thèse évolutionniste et ethnocentrique qui va être réfutée dès le début du XXᵉ siècle par les travaux de l'anthropologue américain Franz Boas. Ce que Warburg ignore également, c'est que ce fameux fripon, à l'instar des autres croyances et rituels hopis, est déjà largement contaminé par la culture moderne et commence à devenir une attraction pour touristes, comme dans les œuvres de l'artiste contemporain Harry Fonseca, un Indien Maïdu de Californie, où le *trickster*, sous les traits du coyote, réalise quelques numéros de music-hall pour les touristes qui viennent le photographier (*Rose and the Res Sisters*, 1982) et devient lui-même, par un dédoublement dont il a le secret, un touriste en chemise hawaïenne qui photographie les villages indiens (*Wish You Were Here*, 1986) (fig. 6). Mais ajoutons à la décharge de Warburg qu'il n'est pas le seul à s'être laissé piéger et que les ethnologues eux-mêmes ont le plus grand mal du monde à cerner la figure du *trickster*. Il serait d'ailleurs bien possible que leurs recherches aient « épaissi plutôt que dissipé l'obscurité du sujet[7] ».

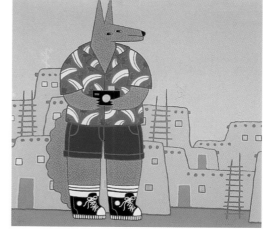

53

fig. 6 / Harry Fonseca / *Wish You Where Here* / 1986 / Acrylique sur toile / 61 x 76 cm / Collection de l'artiste

6. Paul Radin, *Der göttliche Schelm*, Zurich, Rascher Verlag, 1955; *Le Fripon divin*, trad. franç. A. Reiss, Genève, Georg Éditeur, 1958, p. 110. —————— 7. C'est du moins ce que suggère Laura Makarius en commentant le livre de Paul Rabin, qui est pourtant considéré comme l'ouvrage de référence sur la question; Laura Makarius, « Le mythe du 'Trickster' », *Revue de l'histoire des religions*, janv.-mars 1969, p. 18.

Où l'on commence à s'embrouiller...

Mais pourquoi parler de la figure archaïque du *trickster* dans une exposition consacrée à l'art contemporain et au métissage ? Et d'ailleurs, ce *trickster*, où est-il dans *Double Jeu* ? Quel lien existe-t-il entre les clowns masqués de la Black Mesa et les trois artistes de l'exposition ? N'est-on pas en train de glisser, de tout mélanger, de s'embrouiller ? Oui, précisément, c'est bien de ça qu'il s'agit. Brouiller, mélanger les représentations et les identités. L'ambiguïté du *trickster* est un formidable opérateur de médiation entre le soi et l'autre. Le *trickster*, en nous embrouillant, nous fait franchir les frontières et nous oblige à remettre en cause nos catégories intellectuelles, artistiques et culturelles. Il est, comme l'a bien vu Claude Lévi-Strauss, la figure métisse par excellence : « le *trickster* est (…) un médiateur, et cette fonction explique qu'il retienne quelque chose de la dualité qu'il a pour fonction de surmonter. D'où son caractère ambigu et équivoque[8] ».

Le *trickster* est omniprésent chez les artistes de *Double Jeu*. Chez Ron Noganosh, on en retrouve la trace dans les nombreuses figures animales, à commencer par celle du coyote (*Odie*, 1993) (fig. 7), mais également dans celles du cerf (*Guitar Deer*, 1990), du phoque (*Sealed Shield*, 1990) et même des bisons roses (*Shield for a Vanishing Buffalo or If White Men Dream of Pink Elephants do Indians Dream of Pink Buffalo ?*, 2002). Chez Willie Cole, il se manifeste sous la forme d'Elegba, la divinité yoruba du hasard et de la chance, qui a migré dans les cultes afro-américains (le candomblé au Brésil, le vaudou à Haïti, la santeria à Cuba…) et qui s'incarne dans son œuvre sous la figurine du *jockey boy* qui décore les jardins des maisons de banlieues nord-américaines (fig. 8). Chez Purdy, si la figure du *trickster* mythique n'est pas présente en tant que telle, on en retrouve l'esprit qui traverse son œuvre de part en part, à commencer par l'*inversion*, une des opérations favorites du *trickster*[9].

8. Claude Lévi-Strauss, *Anthropologie structurale*, Paris, Plon (coll. Agora), 1958, p. 260. Nous renvoyons également au mémoire de maîtrise de Dominique Sarny, *Contribution à l'étude du Trickster : une figure de la modernité* (Université Laval, Faculté de lettres, 1993), qui met bien en évidence la double fonction de transgresseur et de médiateur du *trickster*.
9. Jacqueline Fry, « Le principe d'inversion chez Richard Purdy », *Parachute*, n° 58, 1990, p. 16-23.

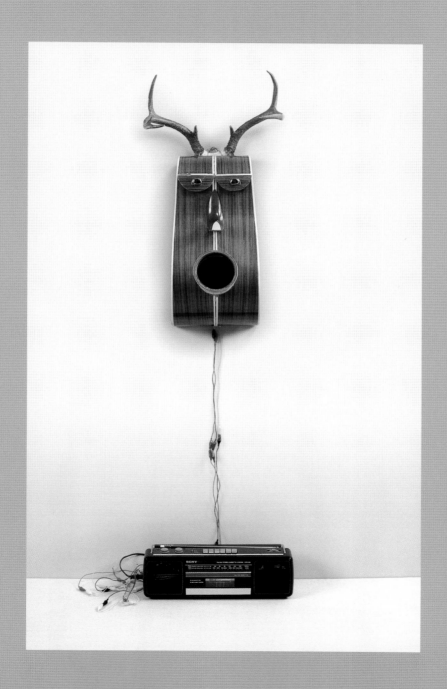

Cat. 11 / Ron Noganosh / *Guitar Deer* / 1990 / Guitare, radio, bois de cerf,
câblage électrique / 74 x 40 x 30 cm / Woodland Cultural Centre, Brantford, Ontario

Cat. 17 / Ron Noganosh / *Shield for a Vanishing Buffalo, or If White Men Dream of Pink Elephants do Indians Dream of Pink Buffalo?* / 2002 / Enjoliveur, plumes, bison en plastique, commutateurs / 85 x 85 x 5 cm / Collection de l'artiste

Cat. 10 / Ron Noganosh / *If You Find Any Culture, Send It Home* / 1987 / Bois, plumes, peau animale /
112 x 64 x 9 cm / Collection particulière

Fig. 7 / Ron Noganosh /
Odie / 1993 / Assemblage
de métal / Collection
de l'artiste

Toutefois, il nous a semblé que pour évoquer cette figure équivoque, nous devions nous-mêmes jouer d'équivoques[10]. Aborder de front le *trickster* étant le moyen le plus sûr de tomber dans les pièges de ce fripon éternel et de nous retrouver dans la position de cette «personne du musée» venue acheter à prix fort tout ce qui ressemble à de la culture authentique, dont Ron Noganosh se moque dans *If You Find Any Culture, Send it Home* (1987). On l'aura compris, le *trickster* est insaisissable. C'est pour cette raison que toute une génération d'artistes autochtones canadiens (Ron Noganosh, Edward Poitras, Shelley Niro, Carl Beam, Joane Cardinal-Schubert, Rebecca More…) s'est reconnue dans cette figure mythique qui permet d'échapper au réductionnisme identitaire[11]. Chez ces artistes, le *trickster* se manifeste de façon privilégiée sous la forme du coyote : coyote strip-teaseuse dans un dessin de Rebecca More (*Coyote Woman*, 1991), coyote-squelette hurlant dans les plaines enneigées chez Edward Poitras (*Coyote*, 1993), coyote picassien chez Ron Noganosh (*Odie*, 1993). Dans tous les cas, le coyote brouille les registres artistiques et culturels. Le nom *Odie*, par exemple, n'est pas une référence à la culture ojibwa à laquelle appartient Noganosh, mais à un des personnages de la bande dessinée *Garfield*… Le *trickster* permet à ces artistes de décliner leur iden-tité et dans le même temps de s'en distancier en faisant appel à l'humour et à l'ironie. Il ne s'agit pas simplement de retourner des stéréotypes dans un jeu de faux-semblants – ce qui se donne pour ceci

10. En ce sens, nous suivons l'exemple de Mehdi Belhaj Kacem qui tout en consacrant un livre au *trickster* ne l'évoque jamais de front, préférant laisser à d'autres le «fastidieux […] exercice d'archéologie étymologique et mythique du *trickster*»; Mehdi Belhaj Kacem, *Théorie du trickster*, Éd. Sens & Tonka, Paris, 2002, p. 38. 11. Allan J. Ryan, *The Trickster Shift: Humour and Irony in Contemporary Native Art*, Vancouver/Seattle, UBC Press/University of Washington Press, 1999.

est en fait cela –, mais de faire cœxister plusieurs réalités qui semblent a priori contradictoires. L'anthropologue Paul Radin note que chez les Winnebagos, mais aussi chez les Ojibwas qui leur sont très proches, « le Fripon prend la forme de deux personnages : l'un est exclusivement Fripon, l'autre ne l'est qu'à demi[12] ». Voilà toute l'ambiguïté du *trickster* : même dans le dédoublement des identités, il ne se dédouble qu'à moitié. Sa duplicité ne se laisse jamais enfermer dans une catégorie, serait-ce celle de l'autofiction. Ron Noganosh est à la fois chacun des guerriers de sa série de boucliers : le *Modern Warrior*, l'*Internet Warrior*, le *Yuppie Warrior*, le *Vanishing Metis*, le *Vanishing Indian*, et en même temps aucun d'eux. Le même phénomène est à l'œuvre dans le triptyque *Man Spirit Mask* (1999) de Willie Cole : la surimpression d'un fer à repasser sur le portrait renversé de l'artiste le transforme en guerrier dan – un des peuples les plus anciens de l'Ouest ivoirien –, mais le même portrait redressé rétablit son identité d'artiste new-yorkais afro-américain. Faut-il choisir entre ces deux visages ? Non, car Willie Cole est à la fois l'un et l'autre, l'un dans l'autre comme le prouvent les scarifications que le masque a laissées sur son visage. Exactement comme les dieux des cultes afro-américains sont à la fois les divinités africaines – les *orixás* – et les masques « blancs » des saints catholiques derrière lesquels elles se cachent. Les choses semblent en apparence plus simples pour Richard Purdy, puisqu'il n'appartient pas à la culture asiatique qu'il décrit dans *Revisiter la civilisation du Ba Pe tardif*. Mais après tout, se dira-t-on, étant une pure fiction, cette culture participe bien du monde imaginaire de l'artiste... Mais non, voyons, puisque les stûpas, ces monuments funéraires bouddhiques,

61

Fig. 8 / Willie Cole / *International Balls 2000* / 1999 / Vue de l'installation au Miami Art Museum / Avec l'aimable concours de la Galerie Alexander and Bonin, New York

12. Paul Radin, *Le Fripon divin*, op. cit., p. 107.

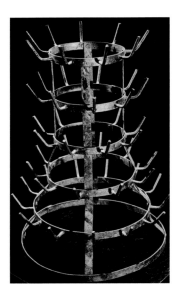

existent bel et bien; d'ailleurs l'artiste leur a consacré une thèse de doctorat, il a même passé six mois, en 1986, comme moine novice dans un monastère Theravâda au Sri Lanka... C'est à ne plus rien y comprendre. Les couches de sens se contaminent les unes les autres pour créer une cohabitation d'identités contradictoires[13]. En effet, le *trickster* ne connaît pas le principe de contradiction, mais au contraire pratique de façon systématique le principe, cher à Marcel Duchamp, de «cointelligence des contraires[14]». On remarquera au passage que le plus célèbre des artistes dadaïstes entretient plus d'une affinité avec notre *fripon*, à commencer par le fait que son œuvre, malgré les centaines d'interprétations dont elle a fait l'objet, semble toujours aussi énigmatique. Ne pourrait-on d'ailleurs pas voir dans le fameux *Porte-bouteilles* de 1914 un double jeu très semblable à celui que pratique aujourd'hui un Willie Cole ? (fig. 9)

Fig. 9 / Man Ray (1890-1976) / *Porte-bouteilles de Marcel Duchamp* / 1914 / Épreuve à la gélatine argentique / 29,2 x 19 cm / The Museum of Modern Art, New York (341-1976)

13. Comme le dit bien l'anthropologue Laura Makarius, «Ethnologues, psychologues, mythologues, historiens des religions se penchant sur le *trickster* se trouvent en présence d'un amas de contradictions. [...] On dirait que chaque qualité ou chaque défaut qui lui est attribué fait automatiquement appel à son opposé»; Laura Makarius, «Le mythe du 'Trickster'», *loc. cit.*, p. 18. ——— 14. Marcel Duchamp, *Notes*, Paris, Flammarion, 1999, p. 112.

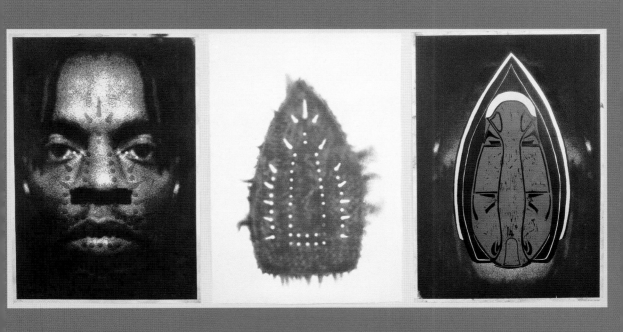

Cat. 5 / Willie Cole / *Man Spirit Mask* / 1996 / Triptyque : photogravure, sérigraphie et
gravure sur bois, 21/40 / Image (hors tout) : 99 x 202 cm; chaque élément : 99 x 67,5 cm /
Avec l'aimable concours de la Galerie Alexander and Bonin, New York

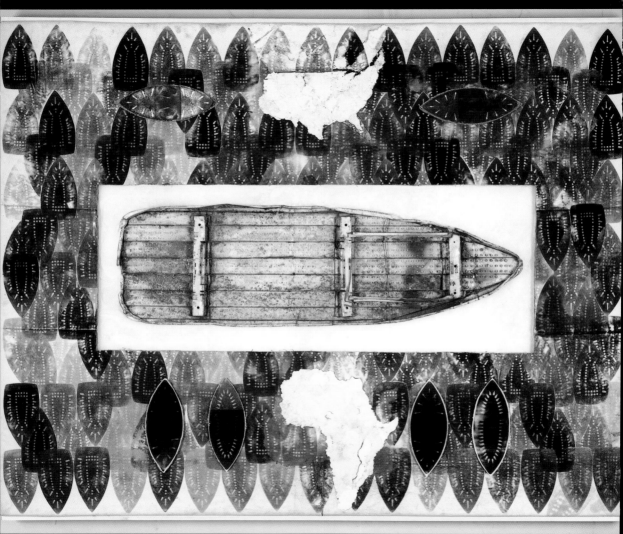

Cat. 8 / Willie Cole / *Infestation* / 2000 / Légères brûlures (*scortches*) sur quatre panneaux
de contreplaqué / 106,5 x 426,5 cm / Avec l'aimable concours de la
Galerie Alexander and Bonin, New York

...ET OÙ L'ON NE RIT PLUS DU TOUT

Si le principe d'identité est mis à mal par le *trickster*, celui de représentation n'est pas épargné non plus. En effet, dès que nous essayons de nous représenter, et de représenter les autres, ne sommes-nous pas toujours dans la position d'un Richard Purdy qui « invente d'abord les paramètres d'une culture, et qui fabrique ensuite les objets qui vont supporter cette construction mentale[15] » ? Ou encore mieux, ne sommes-nous pas dans la position de ces archéologues qui, dans quelques siècles, découvriront les objets *ba pe* que Richard Purdy a enterrés dans le nord-ouest des îles Célèbes en Indonésie en 1996 – à l'endroit même où il avait imaginé en 1981 l'ancien site de la civilisation de *Ba Pe* – et écriront de savants ouvrages sur cette civilisation disparue[16] ? Cette « science-fiction avec des objets », comme l'appelle Purdy, est très proche de l'« Archeological Urban Dada » de Willie Cole qui imagine que ses œuvres seront redécouvertes dans un futur très lointain et serviront à reconstituer notre culture : « [alors] personne ne connaîtra jamais la vérité[17] ». Tel est un des effets du *trickster*, chaque fois qu'on essaye de le cerner, on s'expose soi-même, avec nos préjugés et nos idées toutes faites, un peu à la manière de Warburg, érudit pétri de culture antique, qui voyait chez les Hopis des Grecs du Ve siècle. Est-ce que finalement, en tentant de représenter l'autre, on ne finit pas toujours par se représenter soi-même ?

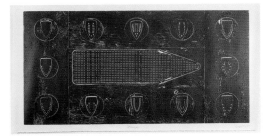

Cat. 5 Willie Cole / *Stowage* / 1997 / Gravure sur bois sur papier kozo-shi, 14/16 / Image : 125,9 x 241,5 cm; papier : 142,2 x 264,2 cm / Avec l'aimable concours de la Galerie Alexander and Bonin, New Yorkk

15. Richard Purdy, *Revisiting Late Ba Pe: Perambulations in Reverse Archaeology*, 2003, texte inédit (traduction personnelle). —— 16. *The Lost civilization of Ba Pe* est une exposition collective, réunissant une vingtaine de personnes, qui a été montrée une première fois en 1981 à la Factory 77 (Toronto), au Harbour Castle (Toronto) et à la Galerie Saw (Ottawa). Depuis cette date, Richard Purdy n'a jamais cessé de travailler sur la civilisation de Ba Pe, notamment par le biais de plusieurs publications. —— 17. Willie Cole, « Interview », *Social Studies 4 + 4 Young Americains*, cat. d'exp., Oberlin (Ohio), Allen Memorial Art Museum, Oberlin College, 1990, p. 18 (traduction personnelle).

Cat. 21 / Richard Purdy / Revisiter la civilisation du Ba Pe tardif : témoignages artefictionnels / 2003 /
Installation / Éléments de la vitrine 4 : Grands Stûpas / 168 x 250 x 55 cm

Mais si les artistes de *Double Jeu* aiment à brouiller les identités culturelles et à imaginer les interprétations farfelues que pourrait provoquer leur travail dans un futur plus ou moins lointain, ils n'en oublient pas pour autant le passé des cultures qu'ils mettent en scène. Le *double jeu* qu'ils mènent avec les objets possède une forte dimension ludique, mais aussi une dimension beaucoup plus tragique qui ramène à la surface des couches enfouies de notre mémoire collective. Si les objets de Willie Cole sont des clins d'œil à la sculpture africaine et au « ready-made réciproque » de Marcel Duchamp (qui consistait à « se servir d'un Rembrandt comme planche à repasser »), ils évoquent également les cales des bateaux négriers qui transportaient les esclaves d'Afrique en Amérique. C'est en effet après avoir découvert le dessin d'un navire négrier dans un livre d'école que Willie Cole a réalisé sa grande gravure sur bois *Stowage* (1997), dans laquelle les douze « masques » entourant le bateau renvoient aux douze ethnies ouest-africaines déportées par les esclavagistes américains. *Unmasked Journey* (1999) – où les cartes de l'Afrique et des États-Unis, reliées par une planche renversée, se dessinent au milieu de la prolifération des brûlures de fer à repasser – évoque de façon troublante ce que l'intellectuel britannique Paul Gilroy appelle l'« Atlantique noir », ce continent océanien où se dessine, au-delà de toutes les définitions ethnicistes de l'identité, le destin mouvant de la diaspora africaine[18]. Si les œuvres de Noganosh fonctionnent sur un mode inverse de celui de Cole – puisqu'il ne s'agit pas ici de doter des objets ready-made d'une mémoire historique, mais de rendre « impurs » des objets qui de prime abord peuvent sembler authentiques –, elles évoquent de façon tout aussi tragique la disparition de la culture amérindienne en Amérique[19]. Les travaux de Purdy eux-mêmes font référence au génocide cambodgien entre 1975 et 1979 (fig. 10), mais peuvent également évoquer le destin des travailleurs asiatiques en Amérique du Nord, exploités puis renvoyés chez eux au gré des flambées xénophobes, comme les Chinois qui travaillèrent à la construction des chemins de fer en Californie jusqu'au *Chinese Exclusion Act* de 1882, ou les Japonais dans les mines de l'île de Vancouver jusqu'à la mise à sac du quartier japonais de Vancouver en 1907 et à leur départ forcé. —————— Les œuvres de *Double Jeu* sont le fruit d'un métissage, mais ce dernier, loin d'être la panacée décrite par certains, est toujours le résultat d'un processus de violence et d'oppression. Telle est la leçon du *trickster* : nous faire admettre par la dérision et l'ironie que l'Amérique du Nord est aujourd'hui un palimpseste où s'intriquent la culture chrétienne des colons européens, celle des Amérindiens qu'ils massacrèrent, des Africains qu'ils maintinrent en esclavage pendant des siècles et des Asiatiques qu'ils exploitèrent. Et le palimpseste, n'est-il pas, comme le suggérait Warburg depuis sa clinique suisse, « l'objet le plus difficile qu'on puisse imaginer[20] » ?

18. Paul Gilroy, *The Black Atlantic*, Cambridge (Mass.), Harvard University Press, 1993. ————— 19. Nous nous permettons de renvoyer à notre article écrit en collaboration avec Katherine Sirois, « Ironie et pessimisme dans l'art de Ron Noganosh », *Esse : Arts + Opinions*, avril 2002, n° 45, p. 56-59. ————— 20. Aby Warburg, « Notes inédites… », *op. cit.*, p. 257.

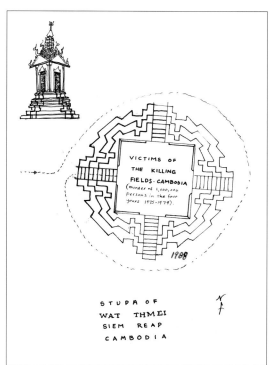

Cat. 21 / Richard Purdy / *Revisiter la civilisation du Ba Pe tardif : témoignages artefictionnels* / 2003 /
Installation / Élément de la vitrine 5 : *Urnes* - 146 x 124 x 55 cm

Fig. 10 / Richard Purdy / *Stupa of wat Thmei Siem Reap, Cambodia* / 2000-2001 /
Dessin à la plume d'un carnet de notes / Collection de l'artiste

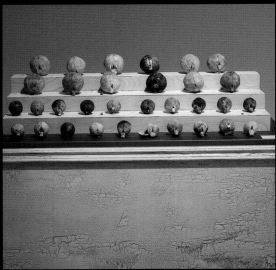

Cat. 21 / Richard Purdy / *Revisiter la civilisation du Ba Pe tardif :*
témoignages artefictionnels / 2003 / Installation / Vue d'ensemble

Cat. 21 / Richard Purdy / *Revisiter la civilisation du Ba Pe tardif :*
témoignages artefictionnels / 2003 / Installation / Vue d'ensemble

willie cole

Willie Cole est né à Sommerville, dans le New Jersey, en 1955. Il vit et travaille à Mine Hill dans le New Jersey. En 1976, il obtient un diplôme de la School of Visual Arts de Manhattan et étudiera ensuite à l'*Art Student League* de New York entre 1976 et 1979. Souvent qualifié de « bricoleur » par la critique d'art, cet artiste afro-américain modifie des appareils électroménagers (sèche-cheveux, fers à repasser, planches à repasser...) ou des objets d'usage courant (chaussures) pour leur donner une aura qui les fait ressembler à des objets cultuels africains (masques, statuettes...). Parallèlement à cet aspect ludique, son travail comporte une forte dimension critique qui met en question l'histoire de la communauté afro-américaine.

Principales expositions récentes

2003 _____ WILLIE COLE: INTERNATIONAL BALLS, John and June Allcott Gallery, University of North Carolina - Chapel Hill, Chapel Hill, Caroline du Nord _____ **2002** _____ WILLIE COLE: BEFORE AND AFTER, Alexander and Bonin Gallery, New York _____ WILLIE COLE: THE ELEGBA PRINCIPLE, The Richard A. and Rissa W. Grossman Gallery, Lafayette College, Easton, Pennsylvanie _____ **2001** _____ GAME SHOW: INSTALLATIONS AND SCULPTURES BY WILLIE COLE, Bronx Museum of the Arts, New York _____ **2000** _____ NEW WORK: WILLIE COLE AT THE CROSSROADS, Miami Art Museum _____ 5e BIENNALE DE LYON _____ **1998** _____ NEW CONCEPTS IN PRINTMAKING 2: WILLIE COLE, Museum of Modern Art, New York

Bibliographie sélective

Donna Harkavy, Helaine Posner, *The culture of Violence*, Amherst: University Gallery, University of Massachusetts, Amherst, 2002 _____ France Morin, *The Quiet in the Land, Everyday Life*, Contemporary Art and Projeto Axé. Salvador: Museu de Arte Moderna da Bahia, Brazil, 2000 _____ Catherine Bernard, *Willie Cole: Iron Work*, Southhampton: Avram Gallery, Long Island University, 1999 _____ David Moos, *Perspectives Willie Cole*, Birmingham, Alabama: Birmingham Museum of Art, 1998 _____ Amada Cruz, *Performance Anxiety*, Chicago, Museum of Contemporary Art, 1997

73

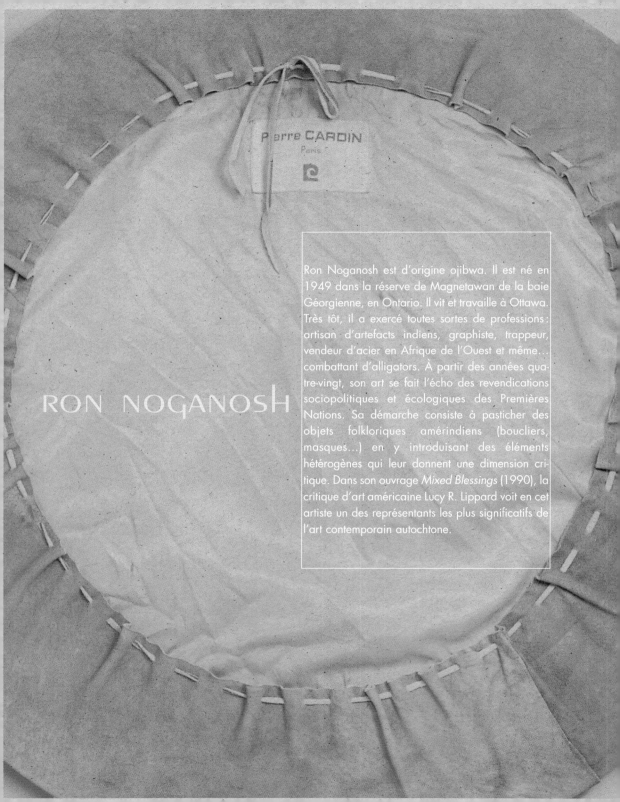

RON NOGANOSH

Ron Noganosh est d'origine ojibwa. Il est né en 1949 dans la réserve de Magnetawan de la baie Géorgienne, en Ontario. Il vit et travaille à Ottawa. Très tôt, il a exercé toutes sortes de professions : artisan d'artefacts indiens, graphiste, trappeur, vendeur d'acier en Afrique de l'Ouest et même… combattant d'alligators. À partir des années quatre-vingt, son art se fait l'écho des revendications sociopolitiques et écologiques des Premières Nations. Sa démarche consiste à pasticher des objets folkloriques amérindiens (boucliers, masques…) en y introduisant des éléments hétérogènes qui leur donnent une dimension critique. Dans son ouvrage *Mixed Blessings* (1990), la critique d'art américaine Lucy R. Lippard voit en cet artiste un des représentants les plus significatifs de l'art contemporain autochtone.

Principales expositions récentes

2003-2002 —— TRANSITIONS - L'art contemporain des Indiens et des Inuits du Canada, Musée d'ethnologie, Saint-Pétersbourg, Russie; et Museo Nacional de Mexico, Mexico, Mexique —— 2002-1999 —— IT TAKES TIME, exposition solo rétrospective organisée conjointement par le Woodland Cultural Center, Brandtford (Ontario), et La Galerie d'art d'Ottawa (Ontario). Exposition itinérante au Canada —— 2000 —— WHO STOLE THE TEEPEE?, Smithsonian's National Museum of the American Indian, New York —— INDIAN TIME – Heard Museum, Phoenix, Arizona —— 1997 —— BEE THAT AS IT MAY, Indian Art Centre Gallery, Hull, Québec —— 1991 —— STRENGTHENING THE SPIRIT, Musée des beaux-arts du Canada, Ottawa, Ontario

Bibliographie sélective

Lucy Lippard, Tom Hill, *It Takes Times: The Art of Ron Noganosh*, La Galerie d'art d'Ottawa, Ottawa, Ontario, 2001 —— Allan J. Ryan, *The Trickster Shift, Humour and Irony in Contemporary Native Art*, UBC Press, Vancouver, BC & University of Washington Press, Seattle, Washington, 1999 —— Lucy Lippard, *Mixed Blessings - Contemporary Art in a Multicultural America*, Pantheon Books, New York, 1990 —— Jacqueline Fry, Brian Maracle, *Decelebration*, Runge Press, Ottawa, Ontario, 1990

Page de gauche : cat. 13 / Ron Noganosh / *Shield for a Yuppie Warrior* (détail) / 1991 / Métal, polystyrène, soie, peau, fourrure, étiquette Pierre Cardin, plastique, perles, os / 132,5 x 65 cm / Collection Shelley Niro

Richard Purdy

Richard Purdy est né à Ottawa en 1953. Il vit à Trois-Rivières (Québec) où il enseigne les arts visuels à l'Université du Québec. Depuis une trentaine d'années, ses installations, ses sculptures publiques et ses écrits explorent sur un mode fictionnel l'histoire, la culture et la science. Le principe d'inversion et de brouillage des codes et des identités culturelles apparaît comme un des éléments moteurs de sa démarche artistique. Depuis le milieu des années 1970, son travail dialogue de manière incessante avec le bouddhisme, religion avec laquelle il entretient de fortes affinités esthétiques et spirituelles. Richard Purdy est aussi reconnu au Québec et à Montréal pour les nombreuses sculptures publiques qu'il a réalisées dans le cadre du collectif *Les Industries perdues* fondé en 1991 avec François Hébert. En 2001, il a obtenu à l'Université du Québec à Montréal un doctorat en études et pratiques des arts pour sa thèse consacrée au stûpa – monument funéraire bouddhique – auquel Purdy s'intéresse depuis trois décennies.

Principales expositions récentes

2003 _____ RICHARD PURDY. STUPA : CONSTRUIT ET NON CONSTRUIT, Galerie Oboro, Montréal, Québec _____ **2001** _____ STUPA, Chapelle historique du Bon Pasteur, Montréal, Québec _____ **2000** _____ PATINER SUR L'ŒIL. Maison de la culture, Trois-Rivières, Québec _____ **1999** _____ LE BIG CRUNCH 2 : ARÉOARCHÉOLOGIE, Galerie Serge Aboukrat, Paris _____ **1998** _____ SMALL WORLD, JOURNALS, The Museum for Textiles, Toronto, Ontario _____ **1984** _____ CORPUS CRISTI, Musée d'art contemporain de Montréal, Québec

Bibliographie sélective

Louise Déry, Nicole Gingras, _Lectures obliques_, texte de Louis Cummins, « Feintes et secrets achriens », Centre d'art contemporain de Basse-Normandie, France, 2000 _____ Camille Bouchi, « L'outre-lieu de l'artiste », _Vie-des-arts_, vol. XLI, n° 169, page 62 _____ Jacqueline Fry, « Le principe d'inversion chez Richard Purdy », _Parachute_, n° 58, 1990, p. 16-23 _____ Claire Gravel, « Les œuvres prophétiques de Richard Purdy », _Le Devoir_, 25 août 1990 _____ Francine Paul, _Cartographies variables_, catalogue de l'exposition éponyme, Galerie de l'UQAM, 1993

double play Identity and Culture

Willie Cole
Ron Noganosh
Richard Purdy

The exhibition *Double Play. Identity and Culture* and this catalogue are the result of productive collaboration between two types of institutions which have a great deal to share, i.e. an art museum and a university. Indeed, the Musée national des beaux-arts du Québec (MNBAQ) is firmly convinced that the mandates of each of these institutions complement each other. Research, which underpins the practices and dissemination methods of both parties, whether through teaching, publications or exhibitions, is a natural and essential outcome. ⎯⎯⎯⎯⎯⎯⎯

It was with this in mind that the Executive Director of the MNBAQ, John R. Porter, enthusiastically greeted the proposal of the multidisciplinary research group *Le Soi et l'Autre* – whose management is overseen by the Université du Québec à Montréal (UQAM), but bringing together partners from several universities both in Québec and abroad – to create a multifaceted project that would include an exhibition, this catalogue, activities intended for the general public, an international symposium and publication of the proceedings thereof. Created in the wake of deliberations on the intersection between identity and multiculturalism, which is the group's main focus, the project was initially designed in conjunction with the MNBAQ, which helped transpose a theoretical concept into a contemporary art exhibition accessible to a greater public. The researchers and curators of the exhibition, Jocelyne Lupien and Jean-Philippe Uzel, both art history professors at UQAM, have met this challenge with intelligence and sensitivity.

The three artistic practices exhibited—those of Willie Cole, Ron Noganosh and Richard Purdy—bring visitors face to face with a fundamental concept: that of constructing identity. Where better than the galleries of a "national" museum to discuss this concept? And clearly, there is no time like the present to do so, as the debate over globalization and cultural identities continues to rage. Without claiming to find answers to this far-reaching question, the works in the exhibition provide guidelines for our reflexions by literally playing on the forging of identities in which fact and fiction, past and present, authentic and sham, old and new, comedy and drama interact constantly. Each artist, in his own individual way, breaks down the wall of certainties and evidence, choosing instead to use poetry and humour to evoke historical or modern realities linked to cultural identity, African-American for Willie Cole and Native Canadian for Ron Noganosh. Richard Purdy's approach focuses less on the origin of identity and more on the future or destiny of a culture. By carefully crafting artefacts of imaginary civilizations, this artist questions the traces we ourselves will leave behind, reflecting the low-quality objects that abound in our mass-consumption societies and which constitute the raw materials for Purdy's works. Furthermore, this false "lost civilization" is portrayed in museological form, with showcases and labels and, in the museum

itself, emphasizes that anthropological, archaeological and, more generally, scientific knowledge, is based on hypothesis. Purdy's fanciful civilization thus constitutes, in this sense, a plausible construction, like his civilization of *Ba Pe*. _____ *Double Play. Identity and Culture* displays three highly personal universes, critical and humorous alike, and encourages visitors to use their own life experiences as material for the ongoing saga that is each of our identities. Once again, the artists, often using banal objects (hair dryers, hubcaps, cheap figurines), raise questions that go far beyond the simple scope of these objects and, with a great deal of sensitivity and acuity, prompt us to reflect in a relevant, up-to-date manner on our lifestyle, our origins and our future. In this sense, *Double Play. Identity and Culture* is a logical extension of the thematic, collective exhibitions that the MNBAQ has been designing since *Le ludique*, presented in 2001, followed by *Body Doubles. The Clothing of Contemporary Art* in 2003, all of which forcefully demonstrate that contemporary art production can be both relevant and accessible to the general public. _____

In closing, we would like to thank the curators, Jocelyne Lupien and Jean-Philippe Uzel, for their enthusiasm and dedication. Not only have they created a pertinent exhibition concept, but they have also succeeded in negotiating the loan of an excellent selection of works, with the assistance of exhibitions curator Paul Bourassa. We would also like to express our gratitude to the artists, without whom the exhibition would be bereft of meaning. Let us hope that this project, which derives from an original initiative of the research group *Le Soi et l'Autre*, will serve as a model for future partnerships between art museums and universities.

LINE OUELLET / Director, Exhibitions and Education

The *Double Play. Identity and Culture* exhibition brings together three North American artists with vastly different cultural identities. The African-American artist Willie Cole lives in New Jersey, USA, Ron Noganosh, of Ojibway origin, in Hull, Ontario, and Richard Purdy, in the Trois-Rivières area of Québec. Their installations, sculptures, photographs and etchings all deal, at times, dramatically, and at other times, ironically, with our difficulty, as North Americans, in bearing the weight of our variegated cultural origins, in our daily lives and across the expanse of our history. Our purpose in assembling the works of Willie Cole, Ron Noganosh and Richard Purdy under the theme of cultural hybridization is to highlight the lucid and critical gaze these artists cast on the sensitive question of cultural identity in North America. _____ The works of these three artists are often in the form of pastiches of Amerindian, African or Indonesian artefacts which can look disarmingly real at times. For Willie Cole, it is African masks, for Ron Noganosh, Amerindian shields, and for Richard Purdy, primitive tools or ancient Oriental jewellery. However, despite first appearances, these works, when given even a perfunctory second look, quickly arouse doubt because of their murky duality. Viewers of these masks, shields and archeological treasures fall prey to the iconoclastic and subversive spirit that alter these objects. The realism in these works serves to make us aware that the cultural identity of North Americans arises from the merging of here and elsewhere, of us and other(s), of collective history and individual pasts, of the noble and the trivial, of sacred mythologies and of popular beliefs.

Objects of doubt, critical objects.

Jocelyne Lupien

Willie Cole.
An archeology of the future

African-American artist Willie Cole, sculptor, photographer and engraver, has called his art Archaeological Urban Dada.[1] The allusion to archeology and Dadaism in his coining of the term is very apt because Cole's sculptures are assemblages of objects from the North American urban landscape, everyday items such as irons and ironing boards, hair dryers, shoes, and gas pumps. Like Duchamp before him, Cole enjoys handling, repairing and recycling the urban readymades he picks up during his walks. Cole takes these seemingly banal objects and tinkers with their primary status and meaning to ascribe to them a symbolic and spiritual role. An assemblage of women's shoes becomes an African Venus, hair dryers, Yombe masks, and an ironing board, a ship's hold. Cole sees the archeological artefacts of the future in these objects: "Let's imagine that everything was destroyed and a new race or a new group of beings came to our planet and they tried to discover our culture through the things that we left, and they find my works of art. So I have totally changed everything and nobody will ever know the truth. In my imagination, that's what I'm doing. I sometimes think of it as archaeological ethnographic Dada."[2] _____ The works by Willie Cole presented in this exhibition are stinging critiques of the lot of the African-American community of yesterday and today, in the form of explicit references to the slave trade, but also to the survival of African religious beliefs such as candomble, voodoo, and animism. By all appearances, *Wind Mask East* is an authentic African ritual mask, but a closer inspection reveals that it is made of hair dryers. Like the composite heads painted by Arcimboldo in the 16th century, made of flowers, fruit or books, Willie Cole's masks straddle two levels of representation that require viewers to see them first, from a distance, and then, from closer up. Tension is created by these two interpretations because the up-close view of the object undermines the certainties and beliefs that the distant view provides. Suddenly, the beautiful primitive mask becomes an assemblage of modern, popular utilitarian objects, a typically American readymade. Africa invades North America and North America shakes up African traditions and gods, the cultures interpenetrating in a grating, booming collision. Willie Cole uses both an iconographic and a perceptual strategy to depict cultural mixing and shifting identity. If this object is not the same up close and far away, could its true identity lie in the intersection of the two, where Africa and America meet? As Catherine Bernard[3] posits in her study of Willie Cole, this act of "Africanizing" objects that symbolize the Western world is the artist's response to Europe's appropriation of African art at the beginning of the 20th century. It is precisely the duality of the viewer's distance or lack thereof in perceiving the object that triggers the identity-based tension the artist strives to express, making it the most effective visual vernacular for discussing the splitting and melding of identity. _____ Willie Cole believes that the objects that we handle every day and that we discard sooner or later are imprinted with a memory of their past. This past and this memory are the subjects of Cole's art. He does not want to erase the history "experienced" with the object because, he argues, this memory, individual and collective, historical and political, is integral to it. In *Double-Headed Gas Snake*, two snakes rise menacingly.

1. Eugenie Tsai, *Archaeological Urban Dada*, exhibition catalogue, Whitney Museum of American Art, Champion, New York, September 29 – November 1995, p. 3. ___ 2. Willie Cole, "Interview", *Social Studies 4 + 4 Young Americans* exhibition catalogue, Allen Memorial Art Museum, Oberlin College, Oberlin, Ohio, 1990, p.18 ___ 3. Catherine Bernard, "Transformer - The Work of Willie Cole," *Nka - Journal of Contemporary African Art*, Fall/Winter 2001, p. 64-69 incl.

From a distance, they look like two huge cobras, but from close up, they become gas pumps. The inanimate object is transformed into a living being imbued with a soul and with memory. The snake spits out its venom like a gas hoses spewing out gas. We know only too well that both mixtures can be poisonous purveyors of war and death. Cole has thus created powerful critical objects without sacrificing the primitivism or the politics that are part of his own cultural, ancestral (African) and contemporary (African-American) heritage. _____ The early 1990s marked the beginning of Cole's iconic use of irons and ironing boards in his work (*Infestation; Unmasked Journey; 600%; Stowage; Man, Spirit, Mask*). A metaphor for the exhausting manual labour of people of colour, the iron is an image that is doubly important in Cole's work, symbolizing slavery and, at the same time, calling to mind the artist's own genealogy, namely, his mother and his grandmother, both of whom were maids. The shape of the ironing board is akin to that of the holds of slave galleys, and the scorch marks visible in several works on display are superimposed on Willie Cole's face, a poignant playback of African scarification rituals. In the sculpture *600%*, an everyday object that can be held in one's hand is blown up to an impossible scale to become a gigantic wooden iron. Used to denounce the substandard socio-economic conditions of African-Americans, this theme of tactile objects, which are designed to be touched and handled, is everywhere in the work of Willie Cole. He transposes the burn marks left by an iron to canvas and paper, thereby producing indexical signs[4] that are very powerful in terms of form and highly evocative in terms of iconography.

Ron Noganosh. Shields for slaying Medusa

Double Play. Identity and Culture features an important series of shields by Ron Noganosh. The artist, of Ojibway origin, was born on Magnetawan Reserve on Georgian Bay and grew up on Shawanaga Reserve in Ontario. Before becoming a full-time artist, he had a string of increasingly bizarre jobs, running the gamut from dishwasher, miner, trucker, and steel salesman in Western Africa to alligator wrestler - a symptom of his search for an identity of his own. Ron Noganosh's personal history is the stuff of drama. In a1982 installation entitled Anon *Among Us*, he draws up a list of the deaths in his family. The toll is 26 violent deaths, 24 of which are alcohol-related. Since then, there have been the deaths of other friends and loved ones (suicides, drownings, shootings, car accidents, diabetes, and alcoholism), for a total Noganosh estimates at over 63 deaths before his 50th birthday! How does Noganosh survive these traumas? The answer is humour. As Tom Hill explains in an essay on Noganosh, "humour has always been a mainstay of his production, but from the beginning, he has consistently articulated death as an integral aspect of the everyday life of a First Nations person."[5] The archetypal Native object he uses to convey his vision of the history of the living conditions of Amerindians is the shield because it affords immense possibilities in terms of plasticity and form, without detracting from the warrior motif that Noganosh aims for in his work.

4. Indexical signs are produced when an object comes into contact with a medium (e.g. an iron dipped in pigment such as ink or acrylic paint and applied to a canvas). *Infestation* (2000), presented in this exhibition, is a good example of this printing process, obtained by burning of the indexical sign "iron." It is obvious that Cole's two-dimensional work is strongly influenced by the indexical technique of printing and etching. _____ 5. *Ron Noganosh: It Takes Time*, Ottawa/Brantford, The Ottawa Art Gallery/Woodland Cultural Centre, 1999, p. 29.

All of Ron Noganosh's shields are perfectly in keeping with the Century old Amerindian tradition of shield-making as it was done on our continent. Noganosh's shields, like those of old, are pearled, feathered and painted. From a distance, they look like the real thing, but close up, surprises are in store for the viewer. For example, *Shield for a Modern Warrior or Concession to Beads ans Feathers in Indian Art*, all the elements – feathers, fur, colours and medallion - are there. However, move in closer, and you will see that Noganosh has crammed Labatt, Molson and O'Keefe beer cans into a Firebird hubcap in a very brutal and uncompromising comment on the harsh conditions in which Native Canadians live today. After an evening of drinking in Hull, Québec, the artist found a flattened beer can in the parking lot, which inspired him to create *Shield for a Modern Warrior*: "So I got thinking about it, put it in the car, took it home and started looking for more of them."[6] The North American territory occupied by the Plains Indians, including the Ojibway, stretched from Alaska to the Mississippi and through the southern part of Canada. Recognized for their fully realized pictorial and chromatic style, these Indians were those the White Man self-importantly called "real" Indians as portrayed in Hollywood movies. They are the Indians who fought General Custer,[7] wore magnificent feather headdresses, and lived in animal-skin tepees. By revisiting this tradition of the shield of the Plains Indians,

despite, as Sylvie Fortin says, "the obsolescence of shields in a technological age,"[8] Ron Noganosh sees this symbolic object as a legitimate vehicle for questioning the "real Indian" stereotype. When we see Noganosh's shields, ironic mirrors of the Amerindian identity, we cannot help but think of the mirror-shield that Athena gave to Perseus to combat and kill Medusa. Like Perseus, Noganosh makes shields that are mirrors of the history of his people, to be brandished in the face of all the General Custers of the world, the better to halt the erosion of his own cultural heritage. These moving and courageous shields are cathartic objects that protect him from the pillaging of the way of life of the Native Peoples of North America by alcoholism, drugs, domestic violence, isolation, territorial and cultural dispossession. Other Noganosh works, such as *That's All It Costs*, poignantly reflect, through a striking plasticity and iconography, the history of the First Nations in North America. Here, the shield is made of two pieces of fabric rife with historical connotations. The first is a piece of the famous woollen blanket in the signature colours of the Hudson's Bay Company, and the second is the American flag. American art historian Lucy R. Lippard sums up the meaning of this Noganosh shield as follows: "...corporate greed. Once the bottom fell out of the fur business, Hudson's Bay and other companies simply abandoned the Indians who had been dependent on them, leaving them out in the dark when they went south to the U.S."[9] The Hudson's Bay blanket and the pile of gold pieces are reminders of this exploitation. The pendant-like American flag is frayed and in tatters. Floating in the foreground are three figurines that appear quite harmless, an Indian warrior, a polar bear, and an elk, a parodic pantheon of Amerindian identity. Above these figurines, as an appendage of the shield, is a guitar neck, in a vibrant tribute to Cubist collages and assemblage art, critical references in Ron Noganosh's work.

6. Ron Noganosh, quoted in *Ibid.*, p. 32. _____ 7. This is the same general who said: " The only good Indian is a dead Indian." In Katherine Sirois and Jean-Philippe Uzel, « Ironie et pessimisme dans l'art de Ron Noganosh », *Esse*, Spring 2002, p. 56 to 59 incl. _____ 8. Sylvie Fortin quoted in Lucy R. Lippard, "Laughter, Tears, Laughter, Tears: The Art of Ron Noganosh", *Ron Noganosh: It Takes Time, op. cit.*, p. 53. _____ 9. *Ibid.*

Richard Purdy's
fictional history and anthropology

Richard Purdy works by creating fictional history in the form of monumental installations composed of ancient artefacts, maps, mock-ups of antediluvian cities, papyrus scrolls containing sibylline writing, primitive tools and heavy Baroque jewellery, packaged in very persuasive historical and scientific discussion of the history of this lost civilization, a discourse whose sole purpose is to inveigle us into thinking that real archeologists have just discovered these vestiges thereof. But despite the hyper-realistic appearance of these artefacts and the extremely convincing dialogue, Richard Purdy's installations are wonderful dramatizations, pastiches, imitations and *trompe-l'œils*. Since 1975, this artist, blessed with a fertile imagination, has been building and displaying invented universes that are purely fanciful visions of exotic places that exist elsewhere. For example, he imagined the Renaissance town of *Corpus Cristi* which Fra Lucio Palaccio, architect for Pope Leo X, designed in the shape of Christ on the cross. Purdy exposed the real mock-up of this fictitious town at the Musée d'art contemporain de Montréal in 1984. But, unlike the ruins produced by French sculptors Anne and Patrick Poirier, in which the primary focus is architectonic features, the models created by Richard Purdy are complete with other objects that document a much more ambitious project to re-create an entire civilization that has been lost, the practices and customs of which the artist wants to preserve. His projects are modern-day representations built on the history of humanity, whose signs and language are entrusted to ethnology, anthropology and art history for safekeeping. At the same time, Richard Purdy draws our attention to what will remain of our current civilization and culture a thousand years from now, and we cannot help thinking that, beneath their fictional outer garb, these installations could conceivably resemble the real traces we will leave on this planet.

The artist has also created biological scenarios such as *Progeria Longaevus* (1988-1989), an imaginary disease of the immune system that, as Purdy relates, was contracted by a man who lived for one thousand years and whose life Purdy has set out to chronicle. Sometimes it is animals and insects that provide the impetus for other narrative inventions. In 1986, an installation entitled *Natural Selection* told the fictional story of twenty-four species of animals. The frog of Sainte-Croix: This animal was at the foot of the cross when Christ was crucified. A drop of blood fell on the frog's back and spread into the shape of a cross. Venerated by Russian saints, these frogs were kept in tiny boxes and were used to entertain the masses. Pope Innocent XIII had a robe, worn on special occasions, made from the skin of 80 of these frogs.[10] In *Double Play. Identity and Culture*, Purdy presents one of his most successful achievements, the lost civilization of Ba Pe. In this work in progress, a historical and archeological fiction that he has been tweaking for over 20 years, the artist describes in words and pictures a civilization that existed between 7 and 79 A.D.

85

10. Purdy in a document for the *L'empoisonnement de la réalité* exhibition presented at the Saydie Bronfman Centre from August 28 to October 3, 1990, unpaginated.

With all due seriousness, Purdy quite literally re-creates the history of Ba Pe before our very eyes, following the standard practice of museums of ethnography, using typical display codes to showcase golden stupas, primitive tools, jewellery, whistles and pottery. For this installation, the artist transformed assorted dollar-store items into ancient treasures. For example, toys such as *Sponge Bob* become petrified enigmatic figures; miniature skeletons in plastic are turned into diminutive mummies; scouring pads resurface as strange rusted artefacts; and trick and novelty items are transformed into real specimens of extinct insects (dragonflies and scarab beetles). All it takes is one visit to Purdy's studio to see that his art is a way of life. He buries the objects he buys at the corner store for months at a time to give them just the right patina, or soaks them in solutions that produce fungi and verdigris to age them gracefully. In other words, his raw materials are readymades from North American pop culture, transformed into noble artefacts through a process of pure hydridization, in which he blends past and present, pop culture and high culture (the domain of the archeologist) in installations that spring from his imagining of the Other. The Other in this case is Indonesian civilization, no stranger to him because of his travels in the East and whose culture he deeply loves, but that he nonetheless chooses only to dream about, and have us dream about, from his home in North America. In Richard Purdy's work, the history and anthropology of a civilization are built on kitsch and ephemera. Ancient memory is created from recent objects. Purdy can extrapolate from contemporary pop artefacts to their potential for memory, their future historical value, their ability to create the illusion of fictional life from the past on this planet. In a thousand years, *Sponge Bob* will be dug up and our descendants, unaware of his initial worthlessness, will perhaps give him a dazzling mythic identity.

The authenticity of cultural origin. Will the real North American please stand up?

This exhibition takes us to the heart of what we, after months of preparation, are compelled to call the impurity and lack of authenticity of cultural origin, based on our conclusion that every North American, whether a dyed-in-the-wool Quebecer or an American of the same description, reflects this continent, in other words, has, to varying degrees, European, African, or Amerindian roots. We are francophones with Native American great-grandparents, anglophones of Irish extraction, New Yorkers with an African genealogy, Ojibway who speak English and live in Ontario, and Westerners who dream of the East. Cole's scorch marks, Noganosh's shields, and Purdy's historical fiction proclaim loudly that our cultural identity remains impure, hybridized and unauthentic to this day because the idea of a "true" North American is a myth, not a reality. While it may be said that our identity is culturally determined at birth, it is equally true that it can also be built using the autofiction and dreams that abound in contemporary art.

...involving a voyage to the home of the Hopi Indians and clowns who aren't funny

This is the story of a young German who, in the late 19th century, tired of the self-satisfied murmurings of the art history of academia, set out for the American southwest in search of adventure and the Indians that peopled the books of his childhood. It was not Leatherstocking, the hero of *The Last of the Mohicans*, whom he met at the end of his voyage, but the Hopi Indians in the throes of rapid acculturation, living in what he himself called "human zoos." [1] For many years our young art historian would say nothing about this trip, his expectations, and his disappointment. Twenty-seven long years would pass before he lectured on the pagan rituals of the Hopi and their resonance in classical Greek art. And yet this talk was not meant for art historians or anthropologists. This formidable exercise in recollection had but one purpose - to prove to the doctors of the psychiatric clinic in Kreuzlingen, Switzerland, that their patient had recovered his senses and could, after years of internment, be released from their institution. ——————————— This story bears an uncanny resemblance to that of anthropologist David Heebie, who, after having lived too long with the Naos of Brazil, became one of them, and spent the last part of his life in a psychiatric hospital. But unlike him, Aby Warburg was not a character that sprang from Richard Purdy's imagination, as brought to life in his anthropological tales of fiction. [2] Aby Warburg (1866-1929) existed in the flesh. In fact, he was one of the most important art historians of the 20th century, and, indeed, the first to articulate the link between aesthetics and anthropology. This is why Warburg deserved to be acknowledged in *Double Play*, which is aimed precisely at placing art and culture together in close confines. When you also consider that Warburg is the first art historian to have analyzed the aesthetic crossover between Western and non-Western art, we felt his name was *de rigueur*. [3]

A short history of the trickster in America

Jean-Philippe Uzel

1. Aby Warburg, " Notes inédites pour la conférence de Kreuzlingen sur 'le rituel du serpent'(1923) ", trans. S. Muller, in Philippe-Alain Michaud, *Aby Warburg et l'image en mouvement*, Paris, Macula, 1998, p. 254. ——— 2. Richard Purdy, *The Journal of the Society for the Preservation of Non-Extant Culture*, vol. 1, Ottawa, 1984. ——— 3. Jean-Philippe Uzel, " L'art comme 'palimpseste' : Aby Warburg chez les Hopis ", in Pierre Ouellet [dir.], *Le Soi et l'Autre* (ouvrage de synthèse), Les Presses de l'Université Laval, 2003, p. 403-422.

But there is another reason why the Kreuzlingen lecture leads off this discussion. Beyond exploring the links shared by art and culture, the lecture and the *Double Play* exhibition have a secret affinity. Both have the same perspective centre, which, at the same time, is a blind spot, namely, the trickster. It is this legendary character, present in all Amerindian cultures as well as in African-American culture, that bedevilled Warburg in his clinic and led him astray in equating the Native Americans with the Greeks. In his lecture, Warburg talks about the *humikatcina* dances he witnessed on May 1, 1896, in the village of Oraibi in the heart of the Black Mesa region. The dances, repetitive and haunting, were performed according to a perfectly orchestrated program, but when night fell, something unusual happened. Nine comically dressed dancers appeared, engaging in all manner of clownish and obscene pranks and acts of self-mortification. Warburg was struck by the fact that, first, the clowns were not funny, and second, that their audience was afraid of them. In describing the contrast between the dancers' and the clowns' behaviour, he posits: "Anyone familiar with ancient tragedy will see here the duality of the tragic chorus and satyr play."[4] ─────────────── What Warburg did not know was that he was not in the presence of Dionysus, but rather, of the trickster, whose antics blend buffoonery, irony and humour, but which also inspire reverential fear. The name given to him by the Winnebago Indians is *Wakdjunkaga*, which literally means *the tricky one*.[5] It is in the nature of the trickster to never be where we think he is and to systematically foil our expectations. The first victim of the trickster's foolery is anyone who tries to make sense of him. This is what happened to Warburg, who allowed himself to be ensnared by the Black Mesa clown, whom he saw as an incarnation of Greek paganism, an evolutionist and ethnocentric thesis that would be refuted in the early 20th century by American anthropologist Franz Boas. What Warburg was equally unaware of was that the trickster, like other Hopi beliefs and rituals, was to a large extent already contaminated by modern culture and had started to become a tourist attraction. A case in point is Harry Fonseca's take on the trickster. In the works of this contemporary Maidu artist from California, the trickster, in the form of a coyote, does a few music-hall numbers for the tourists who come to take pictures of him (*Rose and the Res Sisters*, 1982) and, through some magical switch of his own, becomes a tourist in a Hawaiian shirt photographing Amerindian villages (*Wish You Were Here*, 1986). But Warburg was in good company in being duped because ethnologists themselves are at a loss to truly understand the trickster. In fact, it is entirely possible that their attempts have done more harm than good.[6]

Where the plot starts to thicken...

But what does an archaic figure like the trickster have to do with an exhibition on contemporary art and cultural hybrids? Where is the trickster in *Double Play*? What connects the masked clowns of the Black Mesa region and the three artists of the exhibition? Aren't we mixing apples and oranges? Yes, that is exactly it. Putting representations and identities through a blender, as it were. The ambiguity of

4. Aby Warburg, *Images from the Region of the Pueblo Indians of North America*, trans. Michael P. Steinberg, Ithaca, New York, Cornell University Press, 1995, p. 34. ─────── 5. Paul Radin, *Der göttliche Schelm*, Zurich, Rascher Verlag, 1955; *The Trickster*, Westport, Connecticut, Greenwood Press, 1969 (originally published in 1956), p. 132. ─────── 6. At least, this is what Laura Makarius suggests in discussing Paul Rabin's book, which is considered the leading reference source for information on the subject; Laura Makarius, " Le mythe du 'Trickster' ", *Revue de l'histoire des religions*, January-March 1969, p. 18.

the trickster is a forceful mediator between Self and Other. By confusing us, the trickster compels us to ford frontiers and question our intellectual, artistic and cultural categories. He is, as Claude Lévi-Strauss so clearly saw, the hybrid figure *par excellence*: "[…]the trickster is a mediator. Since his mediating function occupies a position halfway between two polar terms, he must retain something of that duality — namely an ambiguous and equivocal character."[7] The trickster is everywhere in the works of the *Double Play* artists. In Ron Noganosh's work, his markings can be seen in the guise of numerous animal personas, beginning with coyotes (*Odie*, 1993), but also in deer (*Guitar Deer*, 1990), seals (*Sealed Shield*, 1990) and even pink buffalo (*Shield for a Vanishing Buffalo* or *If White Men Dream of Pink Elephants Do Indians Dream of Pink Buffalo?*, 2002). In Willie Cole's work, the trickster is Elegba, the Yoruba god of fate and chance, who found his way into Afro-American religions such as candomble in Brazil, voodoo in Haiti, and santeria in Cuba. In Cole's work, Elegba is incarnated as the jockey boys who decorate the gardens of North American suburbia. Despite the fact that the mythic trickster is not present per se in Purdy's art, it is infused with its spirit through inversion, one of the pet devices of the trickster.[8] Ironically, it would seem that in trying to conjure up this equivocal figure, we ourselves get bogged down in ambivalence,[9] since facing the trickster head on is a foolproof way of falling into the trap of this age-old prankster and ending up like "culture vultures" paying through the teeth for anything that remotely resembles real culture, the butt of Ron Noganosh's mockery in *If You Find Any Culture, Send It Home* (1987).

Make no mistake: there is no capturing the trickster. This is why an entire generation of Native Canadian artists, including Ron Noganosh, Edward Poitras, Shelley Niro, Carl Beam, Joane Cardinal-Schubert, and Rebecca More, saw itself in this mythical figure that precludes a reductionist view of identity.[10] The coyote is the preferred form for the artists' tricksters: Rebecca More's drawing of a coyote doing a striptease (*Coyote Woman*, 1991), Edward Poitras's coyote skeleton howling on snow-swept plains (*Coyote*, 1993), and Ron Noganosh's Picasso-like coyote (*Odie*, 1993). In every instance, the coyote scrambles artistic and cultural signals. The name *Odie*, for example, is not a reference to Noganosh's Ojibway roots, but to the character from the *Garfield* comic strip. The trickster makes it possible for these artists to assert their identity while at the same time distancing themselves from it through humour and irony. It is not simply a matter of turning stereotypes topsy-turvy in a game of deliberate pretence, in which something is other than what it seems, but rather of allowing realities that initially appear contradictory to coexist. As anthropologist Paul Radin observed of the Winnebagos, as well as their close kin the Ojibway, "there are two tricksters, one a fully fledged one and one a partial one."[11] Here, in a nutshell, is the ambiguity of the trickster. Even when it assumes an alter ego, it does so only by halves. Its duplicity is not such as

7. Claude Lévi-Strauss, *Structural Anthropology*, trans. C. Jacobson & B. Grundfest Schoept, NewYork/London, Basic Books, 1965, p. 226. Also see Dominique Sarny, *Contribution à l'étude du Trickster : une figure de la modernité* (Master's thesis, Université Laval, Faculté de lettres, 1993), which makes a strong case for the trickster's double role as transgressor and mediator. ———— 8. Jacqueline Fry, " Le principe d'inversion chez Richard Purdy ", *Parachute*, no. 58, 1990, p. 16-23. ———— 9. In this matter, we have followed the example of Mehdi Belhaj Kacem, who, despite authoring a book about the trickster, never faces him head on, preferring to leave to others the fastidious exercise of unravelling the etymological and mythical history of the trickster; Mehdi Belhaj Kacem, *Théorie du trickster*, Sens & Tonka, Paris, 2002, p. 38. ———— 10. Allan J. Ryan, *The Trickster Shift: Humour and Irony in Contemporary Native Art*, Vancouver/Seattle, UBC Press/ University of Washington Press, 1999. ———— 11. Paul Radin, *The Trickster, op. cit.*, p. 128.

to be contained within a single category, not even that of autofiction. Ron Noganosh is each and yet none of the warriors in his shield series, *Modern Warrior*, *Internet Warrior*, *Yuppie Warrior*, *Vanishing Metis*, and *Vanishing Indian*. The same phenomenon is at work in Wille Cole's *Man Spirit Mask* (1999) triptych: the iron scorch mark superimposed over the inverted portrait of the artist transforms him into a Dan warrior—one of the most ancient peoples of Western Africa's Ivory Coast—but the same portrait right-side-up reinstates his identity as an African-American artist from New York. Do we have to choose between the two faces? No, because Willie Cole is both simultaneously, in fact, is one within the other, as depicted by the scars the mask has left on his face. Exactly the way in which the gods in African-American religions are African deities—orixá—and white masks of the Catholic saints behind which they hide. Things at first seem a little simpler for Richard Purdy because he is not part of the Asian culture he describes in *Late Ba Pe*. After all, we may argue, because this is pure fiction, this culture shares in the imaginary world of the artist... Well, not really, because *stupas*, Buddhist funeral monuments, actually exist. In fact, the artist wrote a doctoral dissertation about them, and in 1986, he even spent six months as a novice in a Theravada monastery in Sri Lanka.Could it possibly get more complicated? The layers of meaning leach into one another to create a confluence of contradictory identities.[12] The trickster does not operate on the principle of contradiction, but, on the contrary,

makes systematic use of the principle of "co-intelligence of opposites"[13] so dear to the heart of Marcel Duchamp. Incidentally, Duchamp, the most famous of the Dada artists, had more than one thing in common with the trickster, starting with the fact that his work, despite the hundreds of interpretations it has had, remains as enigmatic as ever. It isn't stretching the point to say that Wille Cole engages in the same double play as Duchamp in his famous *Bottle Rack* of 1914.

...and where no one's laughing at all

The trickster may ride roughshod over the principle of identity, but, clearly, the principle of representation fares no better. The minute we try to represent others, or ourselves, we are in Richard Purdy's position, whose procedure is "to invent the parameters of the culture first, and then to fabricate the artefacts to support [his] mental construction."[14] Or, more to the point, we are like archeologists, who, a few centuries down the road, will discover the *ba pe* objects that Richard Purdy buried in the north-western Celebes Islands in Indonesia in 1996—at the very spot where in 1981 he imagined the ancient site of the civilization of *Ba Pe*—and write learned books on this lost civilization.[15] This "sort of science-fiction with objects," as Purdy calls it, is very close to Willie Cole's concept of Archeological Urban Dada, in which he imagines that his work will be unearthed in some distant future and will be used to rebuild our culture "[so] nobody will ever know the truth."[16] Such is the effect of the trickster. Every time we try to pin him down, we expose ourselves, with our prejudices and our pre-conceptions, a little like Warburg, a scholar steeped in antiquity, who saw in the Hopi the Greeks of the 5th century. Is the proverbial bottom-line that, in attempting to portray something else, we invariably end up portraying ourselves?

12. To borrow from anthropologist Laura Makarius, ethnologists, psychologists, mythologists and historians of religion who set out to examine the trickster are faced with a maze of contradictions. It is as if every vice or virtue automatically conjures up its very opposite; Laura Makarius, " Le mythe du 'Trickster' ", *loc. cit.*, p. 18. ———— 13. Marcel Duchamp, *Notes*, Paris, Flammarion, 1999, p. 112. ———— 14. Richard Purdy, *Revisiting Late Ba Pe: Perambulations in Reverse Archaeology*, 2003, unpublished text. ———— 15. *The Lost Civilization of Ba Pe* is a group exhibition of some 20 artists that opened in 1981 at Factory 77 (Toronto), Harbour Castle (Toronto) and Saw Gallery (Ottawa). Ever since, Richard Purdy has never stopped working on the civilization of *Ba Pe*, including publications. ———— 16. Willie Cole, "Interview," *Social Studies 4 + 4 Young Americans*, exhibition catalogue, Oberlin, Ohio, Allen Memorial Art Museum, Oberlin College, 1990, p. 18.

The artists of *Double Play* enjoy melding cultural identities and dreaming up far-fetched interpretations that their work might evoke in some more-or-less distant future, but this does not mean that they forget the cultural pasts they depict. The *double play* they engage in with objects has a strong element of mischievousness, but is not without a much more tragic dimension that emerges from the buried layers of our collective memory. Willie Cole's work is a nod to African sculpture and Marcel Duchamp's readymades (which consisted in, to borrow from him, "using a Rembrandt as an ironing board"), but is also evocative of the galleys used to transport African slaves to America. After having discovered the drawing of a slave galley in a textbook, Willie Cole produced *Stowage* (1997), a monumental woodblock in which the twelve masks that surround the galley suggest the twelve West African tribes deported by American slave traders. *Unmasked Journey* (1999)–in which the map of Africa and of the United States, linked by an ironing board turned upside down, can be perceived amid a plethora of scorch marks from an iron–disturbingly recalls what the British intellectual Paul Gilroy called the Black Atlantic, this ocean continent, where, beyond ethnic-based definitions of identity, the shifting fate of the African diaspora unfolded.[17] Noganosh's work operates inversely to that of Cole in the former, readymade objects are not ascribed with historical memory, but instead, objects that at first glance may seem authentic are adulterated–but it bemoans the extinction of Amerindian culture in America just as tragically.[18] Purdy's work addresses the Cambodian genocide that took place between 1975 and 1979, but also serves to underline the plight of Asian workers in North America, exploited and then expelled at

the whim of xenophobic zealots, like the Chinese who built railroads in California until adoption of the *Chinese Exclusion Act* of 1882, or the Japanese miners who worked on Vancouver Island until the anti-Asiastic riots in Vancouver's Japantown, when they were forced into exile. ——————— The works in *Double Play* are examples of *métissage*. However, far from being the panacea described by some, this *métissage* is always spawned by violence and oppression. So this is the trickster's goal–to force us to recognize, through derision and irony, that North America as we know it today is a palimpsest in which are interwoven the Christian culture of the European colonists, the culture of the Amerindians they massacred, the culture of the Africans whom they kept enslaved for centuries, and the culture of the Asians they exploited. And, as Warburg suggested from the clinic in Switzerland, palimpsests are the most difficult objects imaginable.[19]

91

17. Paul Gilroy, *The Black Atlantic*, Cambridge, Massachusetts, Harvard University Press, 1993. ——— 18. See our article co-written with Katherine Sirois, " Ironie et pessimisme dans l'art de Ron Noganosh ", *Esse*, April 2002, no. 45, p. 56-59. ——— 19. Aby Warburg, " Notes inédites… ", *op. cit.*, p. 257.

Willie Cole

Willie Cole was born in Sommerville, New Jersey, in 1955, and currently lives and works in Mine Hill, New Jersey. In 1976, he graduated from the School of Visual Arts in Manhattan, and studied at the Art Student League in New York from 1976 to 1979. Often referred to as a "bricoleur" by art critics, this African-American artist modifies domestic objects (hair dryers, irons, ironing boards) and personal items (shoes), imbuing them with an aura reminiscent of African cultural icons (masks, statuettes). Although playful, his work also has a pronounced critical dimension that calls into question the history of the African-American community.

Main recent exhibitions

2003 _____ WILLIE COLE: INTERNATIONAL BALLS, John and June Allcott Gallery, University of North Carolina - Chapel Hill, Chapel Hill, North Carolina _____ 2002 _____ WILLIE COLE: BEFORE AND AFTER, Alexander and Bonin Gallery, New York _____ WILLIE COLE: THE ELEGBA PRINCIPLE, The Richard A. and Rissa W. Grossman Gallery, Lafayette College, Easton, Pennsylvania _____ 2001 _____ GAME SHOW: INSTALLATIONS AND SCULPTURES BY WILLIE COLE, Bronx Museum of the Arts, New York _____ 2000 _____ NEW WORK: WILLIE COLE AT THE CROSSROADS, Miami Art Museum _____ 5e BIENNALE DE LYON _____ 1998 _____ NEW CONCEPTS IN PRINTMAKING 2: WILLIE COLE, Museum of Modern Art, New York

Selective bibliography

Donna Harkavy, Helaine Posner, The Culture of Violence, Amherst: University Gallery, University of Massachusetts, Amherst, 2002 _____ France Morin, The Quiet in the Land, Everyday Life, Contemporary Art and Projeto Axé. Salvador: Museu de Arte Moderna da Bahia, Brazil, 2000 _____ Catherine Bernard, Willie Cole: Iron Work, Southhampton: Avram Gallery, Long Island University, 1999 _____ David Moos, Perspectives: Willie Cole, Birmingham, Alabama: Birmingham Museum of Art, 1998 _____ Amada Cruz, Performance Anxiety, Chicago, Museum of Contemporary Art, 1997

Ron Noganosh

Ron Noganosh is of Ojibway origin. He was born in 1949 on the Magnetawan Reserve on Georgian Bay in Ontario, he currently lives and works in Ottawa. From very early on, he took up a number of careers: artisan of Native artefacts, graphic artist, trapper, steel salesman in West Africa, and even alligator wrestler. Starting in the 1980s, his art expressed the sociopolitical and ecological concerns of the First Nations. His method is to create a pastiche of Amerindian folklore items, such as shields and masks, by introducing heterogeneous elements that lend them a critical dimension. In *Mixed Blessings* (1990), American art critic Lucy R. Lippard numbers Noganosh among the leading representatives of contemporary Native art.

Main recent exhibitions

2003-2002 –––––– TRANSITIONS – Contemporary Canadian Indian and Inuit Art, Museum of Ethnography, St. Petersburg, Russia, and Museo Nacional de Mexico, Mexico City, Mexico –––––– 2002-1999 –––––– IT TAKES TIME, solo retrospective co-organized by Woodland Cultural Centre, Brantford, Ontario, and the Art Gallery of Ottawa, Ontario. Travelling exhibition (Canada) –––––– 2000 –––––– WHO STOLE THE TEEPEE?, National Museum of the American Indian, Smithsonian Institution, New York –––––– INDIAN TIME – Heard Museum, Phoenix, Arizona –––––– 1997 –––––– BEE THAT AS IT MAY, Indian Art Centre Gallery, Hull, Québec –––––– 1991 –––––– STRENGTHENING THE SPIRIT, National Gallery of Canada, Ottawa, Ontario

Selective bibliography

Lucy Lippard, Tom Hill, *It Takes Time: The Art of Ron Noganosh*, Art Gallery of Ottawa, Ottawa, Ontario, 2001 –––––– Allan J. Ryan, *The Trickster Shift: Humour and Irony in Contemporary Native Art*, UBC Press, Vancouver, British Columbia & University of Washington Press, Seattle, Washington, 1999 –––––– Lucy Lippard, *Mixed Blessings - Contemporary Art in a Multicultural America*, Pantheon Books, New York, 1990 –––––– Jacqueline Fry, Brian Maracle, *Decelebration*, Runge Press, Ottawa, Ontario, 1990

93

Richard Purdy

Richard Purdy was born in Ottawa in 1953 and lives in Trois-Rivières, Québec, where he teaches visual arts at the Université du Québec. For the past thirty years, his installations, public sculptures and writings have explored, from a fictional perspective, history, culture and science. The principle of inversion and scrambling of cultural codes and identities is one of the driving forces behind his artistic approach. Since the mid-1970s, his work has been influenced by Buddhism, a religion with which he has close aesthetic and spiritual affinities. Richard Purdy is also renowned throughout Québec and in Montréal for the numerous public sculptures he created as part of the collective Les Industries perdues, which he founded in 1991 with François Hébert. In 2001, he obtained a Ph.D. in arts studies and practices from the Université du Québec à Montréal for his dissertation on stupas, Buddhist burial monuments which have fascinated Purdy for three decades.

Main recent exhibitions

2003 ———— RICHARD PURDY. STUPA : CONSTRUIT ET NON CONSTRUIT, Galerie Oboro, Montréal, Québec ———— 2001 ———— STUPA, Chapelle historique du Bon Pasteur, Montréal, Québec ———— 2000 ———— PATINER SUR L'ŒIL. Maison de la culture , Trois-Rivières, Québec ———— 1999 ———— LE BIG CRUNCH 2 : ARÉOARCHÉOLOGIE, Galerie Serge Aboukrat, Paris ———— 1998 ———— SMALL WORLD, JOURNALS, The Museum for Textiles, Toronto, Ontario ———— 1984 ———— CORPUS CRISTI, Musée d'art contemporain de Montréal, Québec

Selective bibliography

Louise Déry, Nicole Gingras, *Lectures obliques*, text by Louis Cummins, « Feintes et secrets achriens », Centre d'art contemporain de Basse-Normandie, France, 2000 ———— Camille Bouchi, « L'outre-lieu de l'artiste », *Vie-des-arts*, vol. XLI, no. 169, page 62 ———— Jacqueline Fry, « Le principe d'inversion chez Richard Purdy », *Parachute*, no. 58, 1990, p. 16-23 ———— Claire Gravel, « Les œuvres prophétiques de Richard Purdy », *Le Devoir*, August 25, 1990 ———— Francine Paul, *Cartographies variables*, exhibition catalogue, Galerie de l'UQAM, 1993

Ce catalogue accompagne l'exposition *Double Jeu. Identité et culture* organisée par le Musée national des beaux-arts du Québec en partenariat avec l'équipe de recherche Le Soi et l'Autre et présentée du 1er avril au 3 octobre 2004.

Direction du projet et de la publication : Line Ouellet ___ Commissaires invités : Jocelyne Lupien et Jean-Philippe Uzel ___ Coordination : Paul Bourassa ___ Design de l'exposition : Marie-France Grondin ___ Éditeur adjoint : Louis Gauvin ___ Conception graphique : Bleu outremer ___ Révision : Marie-Claire Lemaire ___ Traduction : Colleen Bilodeau ___ Impression : Caractéra ___ Distribution : ABC Livres d'art Canada

Photographie des œuvres : Patrick Altman, Musée national des beaux-arts du Québec : cat. 2, 3, 9-19, 21 ___ Galerie Alexander and Bonin, New York : cat. 1, 4-9; fig. 1, 2, 8 ___ Detroit Institute of Arts : fig. 3 ___ Horace Bustal Corbis Magna fig. 4 ___ Warburg Institute, Londres : fig. 5 ___ The Museum of Modern Art, New York ___ Licensed by Scala Art Resource, New York : fig. 9

Directeur général : John R. Porter ___ Directeur des collections et de la recherche : Yves Lacasse ___ Directrice des expositions et de l'éducation : Line Ouellet ___ Directeur de l'administration et des communications : Marc Delaunay

Équipe de recherche : Le Soi et l'Autre, programme des grands travaux de recherche concertée du Conseil de recherches en sciences humaines du Canada (www.er.uqam.ca/nobel/soietaut/accueil.html) ___ Chercheur principal : Pierre Ouellet, professeur au département d'étude littéraires de l'Université du Québec à Montréal.

Le Musée national des beaux-arts du Québec est une société d'État subventionnée par le ministère de la Culture et des Communications du Québec

ISBN 2-551-22451-9
Dépôt légal Bibliothèque nationale du Québec
Dépôt légal Bibliothèque nationale du Canada

**Musée national
des beaux-arts du Québec**

Parc des Champs-de-Bataille
Québec (Québec) G1R 5H3
**Téléphone : (418) 643-2150
www.mnba.qc.ca**

Conseil des Arts
du Canada   Canada Council
                   for the Arts

Musée
national des beaux-arts
du Québec

Québec ✚✚

LESOIETL'AUTRE